Brandenburger Tor, Symbol und
Wahrzeichen Berlins

Top 12 Highlights

1. **Brandenburger Tor** › S. 72
2. **Holocaust-Mahnmal** › S. 73
3. **Gendarmenmarkt** › S. 78
4. **Museumsinsel** › S. 83
5. **Fernsehturm** › S. 90
6. **Hamburger Bahnhof** › S. 95
7. **Reichstag** › S. 102
8. **Potsdamer Platz** › S. 109
9. **Kaiser-Wilhelm-Gedächtniskirche** › S. 122
10. **Schloss Charlottenburg** › S. 123
11. **Gedenkstätte Berliner Mauer** › S. 135
12. **Schloss Sanssouci** › S. 160

1 Touren-Start

Perfekte Planung — Parallel Klappe vorne links aufschlagen

- Historisches Zentrum S. 70
- Mitte S. 88
- Tiergarten S. 100
- Prenzlberg/Kreuzberg/Friedrichshain S. 129

Zeichenerklärung der Karten

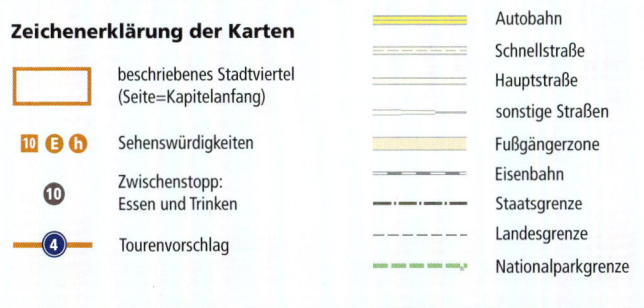

- beschriebenes Stadtviertel (Seite=Kapitelanfang)
- Sehenswürdigkeiten
- Zwischenstopp: Essen und Trinken
- Tourenvorschlag
- Autobahn
- Schnellstraße
- Hauptstraße
- sonstige Straßen
- Fußgängerzone
- Eisenbahn
- Staatsgrenze
- Landesgrenze
- Nationalparkgrenze

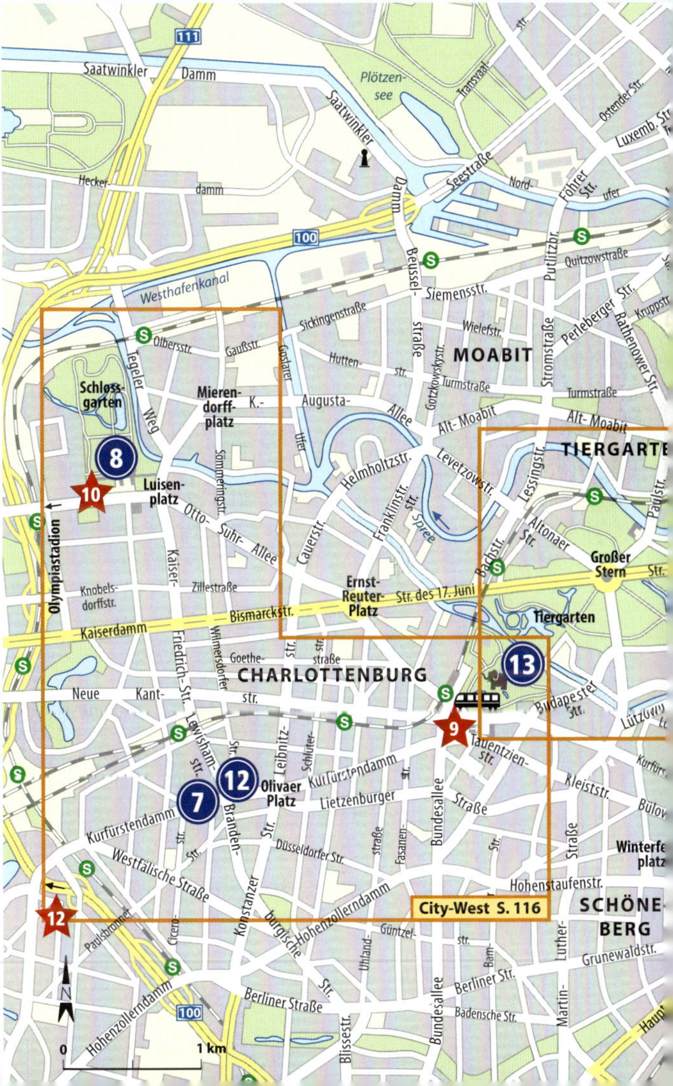

68 Top-Touren & Sehenswertes

70	**Historisches Zentrum**
72	**Tour ❶** Vom Brandenburger Tor zum Schlossplatz
83	**Tour ❷** Museumsinsel
88	**Mitte**
90	**Tour ❸** Rund um den Alexanderplatz
95	**Tour ❹** Die nördliche Mitte
100	**Rund um den Tiergarten**
102	**Tour ❺** Ein Gang durch den Tiergarten
109	**Tour ❻** Rund um den Potsdamer Platz
116	**Die City-West**
118	**Tour ❼** Bummel über den Kurfürstendamm
122	**Tour ❽** Rund ums Schloss Charlottenburg
129	**Die Szeneviertel Prenzlauer Berg, Kreuzberg und Friedrichshain**
131	**Tour ❾** Der Prenzlauer Berg
137	**Tour ❿** Durch das westliche Kreuzberg
143	**Tour ⓫** Vom Kottbusser Tor nach Friedrichshain
148	**Ausflüge & Extra-Touren**
149	Köpenick und Umgebung
154	Havel und Wannsee
160	Potsdam
167	**Tour ⓬** Ein langes Wochenende in Berlin
169	**Tour ⓭** Bus 100 / Bus 200
171	**Tour ⓮** Die Brückenfahrt
172	**Tour ⓯** Die Fahrrad-Mauer-Tour

TOUR-SYMBOLE		**PREIS-SYMBOLE**	
❶ Die POLYGLOTT-Touren		Hotel DZ	Restaurant
❻ Stationen einer Tour	€	bis 50 EUR	bis 20 EUR
❶ Zwischenstopp Essen & Trinken	€€	50 bis 100 EUR	20 bis 30 EUR
① Hinweis auf 50 Dinge	€€€	über 100 EUR	über 30 EUR
[A1] Die Koordinate verweist auf die Platzierung in der Faltkarte			
[a1] Platzierung Rückseite Faltkarte			

TYPISCH

Berlin ist eine Reise wert!

Berlin ist nicht nur eine Reise wert, sondern ein ganzes Leben!
Warum sonst blieben so viele Berliner ihrer Stadt für immer treu?
Weil es zumindest in Deutschland keinen besseren Ort zum Leben gibt,
wovon natürlich auch die Autoren hundertprozentig überzeugt sind.

Manuela Blisse und Uwe Lehmann
Manuela Blisse, gebürtige und leidenschaftliche Berlinerin, und Uwe Lehmann, Dortmunder, aber schon seit Anfang der 1980er-Jahre aus Überzeugung an der Spree zu Hause, leben und arbeiten gemeinsam als Journalisten in Berlin. Dabei widmen sie sich mit ihrem eigenen Redaktionsbüro Surpress hauptsächlich den Themen Reise, Essen und Trinken, Hotellerie und Gastronomie sowie Lifestyle.

Berlin ist dynamisch, Berlin ist ständig im Wandel, Berlin ist nie fertig – und damit ist nicht die unendliche Geschichte des Airports Berlin Brandenburg gemeint.

Nein, auch für Berliner wie uns steht die Hauptstadt niemals still. Was heute noch im Trend liegt, ist morgen oftmals schon Schnee von gestern. Sich immer wieder aufs Neue in das aufregende Treiben der Hauptstadt stürzen, die Metropole jedes Mal aus einem anderen Blickwinkel entdecken, das Unerwartete erwarten – das macht für uns den besonderen Reiz Berlins aus, und das zieht auch Besucher immer wieder in Bann.

Kreuzberg-Feeling in der Bergmannstraße

Berlin ist eine Reise wert!

Uwe Lehmann bei einer seiner Restaurant-Recherchen

sind wir in der spannenden Berliner Restaurantszene, die inzwischen auch international immer größere Beachtung findet, genau richtig – zumal ich, Manuela Blisse, als Mitglied der Jury Berliner Meisterköche jedes Jahr die Besten der Hauptstadt mitküren darf. Freuen Sie sich also in unserem Reiseguide auch auf besondere Essenstipps.

Wir können die sogenannten organisierten Entdecker völlig verstehen, die ihren Aufenthalt von vorne bis hinten durchplanen – bei dem übervollen Angebot Berlins kann eine vorausschauende Planung nicht verkehrt sein, zumal auch hier gilt: Kein Stillstand, Vielfalt!

Die Museumsinsel wird weiter rausgeputzt, die Staatsoper Unter den Linden wird renoviert und spielt derweil im Schiller-Theater, das Stadtschloss aufgebaut, neu der Umzug der C/O-Galerie vom Osten in den Westen ins Amerika-Haus.

Und dabei ist längst (wie Willy Brandt es zur Wende ausdrückte) zusammengewachsen, was zusammengehört. Jedenfalls fast, denn die kleinen Brüche, die noch hier und da zu bemerken sind – Friedrichshain tickt anders als Kreuzberg, obwohl beide zum selben Bezirk gehören – tragen zur Faszination Berlins bei.

Was Sie als Tourist suchen, erleben wir in unserer Stadt jeden Tag, wenn wir, wie so häufig, an den bekannten Sehenswürdigkeiten von Alexanderplatz bis Zoologischer Garten vorbei fahren. Wir suchen uns die Highlights unter der Vielzahl an Ausstellungen und Galerien aus, besuchen fantastische Konzerte, angesagte Theater- oder Varietévorstellungen, sind bei Vernissagen, Laden- und Restaurant-Eröffnungen dabei und lassen kaum eine neue Bar aus.

Vor allem Essen und Trinken zählen zu unserer Passion, und da

Grandiose Aussicht und Gourmet-Küche bietet Hugos Restaurant

Berlin ist eine Reise wert!

Buntes Treiben beim Karneval der Kulturen

Wir lieben es – Berlin erfindet sich täglich immer wieder neu.

Und dann treffen wir auch die »Event-Hopper«. Nicht nur diejenigen aus dem eigenen Kiez, sondern auch die, die eigens zu international beachteten Veranstaltungen wie dem Karneval der Kulturen, dem Berlin Marathon, großen Konzerten und bedeutenden Ausstellungen, der Berlinale oder der Fashion Week anreisen und die Stadt für kurze Zeit erobern. Wir treffen auf junge Menschen, für die Berlin längst das absolute Topziel ist. Sie entern in Barcelona und Mailand, in Glasgow und Warschau die Billigflieger und überfluten die Hostels in Mitte und Friedrichshain, um das exzessive Nachtleben mit legendären Klubs wie dem Berghain oder dem Watergate in sich aufzusaugen und Partys zu feiern. Und das möglichst nonstop und für wenig Geld.

Das gefällt nicht jedem Berliner, der nachts gerne seine Ruhe haben möchte. Das nächtliche Geräusch von scheppernd durch die Straßen rollenden Trollies ist zum Synonym des Erfolgs Berlins geworden und hat auch uns schon das ein ums andere Mal genervt.

Apropos wenig Geld. Dass die Stadt eine der günstigsten Metropolen weltweit ist, haben auch die Luxusreisenden entdeckt. Wir, die wir weltweit unterwegs sind, können das nur bestätigen: Die über zwanzig 5-Sterne-Luxusherbergen der Hauptstadt locken mit international konkurrenzlos günstigen Preisen.

Und Feinschmecker wissen, in Berlin schlemmt man rund um die Uhr. In den Sterne- und Gourmettempeln isst man nicht nur außergewöhnlich gut, sondern auch zu moderaten Preisen. Nicht zu vergessen, dass die Gastroszene multikulturell ist wie kaum eine andere. Hier sind die Küchen der Welt zu Gast, werden immer neue innovative Konzepte ausprobiert und spannende Trends gesetzt.

Berlin geht aus, gerne und lange: Auch wir sind ständig auf Achse. Und lassen uns ansonsten, wenn es die Zeit erlaubt, einfach nur treiben. Wir bummeln durch die Einkaufsmeilen und Kieze unserer Stadt, chillen in Liegestühlen am Landwehrkanal, sitzen in lauen Sommernächten in den zahllosen Biergärten, gönnen uns ein spätes Frühstück im Straßencafé oder stürzen uns ins turbulente Nachtleben. Wie wir finden, nicht die schlechteste Art, um seine Zeit an der Spree vergnüglich zu verbringen.

Reisebarometer

Was macht Berlin so besonders? Ist es die ungewöhnliche Architektur, die wunderschönen Parks oder die vielen Kunstevents. Wir zeigen die Schokoladenseiten der Stadt von einem Punkt »gut« bis sechs Punkte »übertrifft alle Erwartungen«.

Beeindruckende Architektur
Z. B. Gendarmenmarkt, Potsdamer Platz und Kanzleramt.

Grüne Oasen und Parks
Auslauf ohne Ende, vor allem auf dem Tempelhofer Feld.

Kultur- und Eventangebot
Es gibt ein riesiges Angebot das ganze Jahr über.

Museen und Besichtigungen
Sie finden hier Museen und Galerien von Weltrang.

Kulinarische Vielfalt
Berlin ist kulinarisch multikulturell, zudem hat keine Stadt in Deutschland mehr Michelin-Sterne.

Spaß und Abwechslung für Kinder
Es mangelt nicht an super Angeboten für Kids.

Shoppingangebot/Vielfalt
Unzählige Designer, Modelabels und skurrile Läden machen das Shoppen zum Erlebnis.

Ausgehen/Party
Berlin bietet Top-Locations für jeden Geschmack.

Ausflüge vor die Tore der Stadt
Ob West- oder Ost-, rund um Berlin grünt und blüht es.

Preis-Leistungs-Verhältnis
Im europäischen Vergleich ist Berlin fast unschlagbar.

● = gut ●●●●●● = übertrifft alle Erwartungen

50 Dinge, die Sie ...

Hier wird entdeckt, probiert, gestaunt, Urlaubserinnerungen werden gesammelt und Fettnäpfe clever umgangen. Diese Tipps machen Lust auf mehr und lassen Sie die ganz typischen Seiten erleben. Viel Spaß dabei!

... erleben sollten

① Wiedervereinigung hautnah Mit Bedacht durch das Brandenburger Tor schreiten, das bis 1989 den Westen vom sozialistischen Osten trennte, dann im Luxushotel Adlon eine Kaffeepause zelebrieren. › S. 72

② Angesagte Erfrischung Sich unter Berlins Schönen in der Sonne aalen und ab und zu ins Schwimmbecken in der Spree steigen (www.arena-berlin.de, Eingang: Eichenstr., 10997, Arena), anschließend den Abend im »Freischwimmer« nebenan ausklingen lassen (Reservieren!, Vor dem Schlesischen Tor 2, 10997, www.freischwimmer-berlin.com). [M5]

③ Großes Kino Karl-Marx-Allee Die »Arbeiterpaläste« im Zuckerbäckerstil am einstigen sozialistischen Prachtboulevard vom Strausberger Platz bis zum Frankfurter Tor aus der Zweiradperspektive bewundern. › S. 93

④ Gut gelaunt in den Samstagabend: In der Alten Kantine der KulturBrauerei › S. 65 dem »Gipfeltreffen der Berliner Lesebühnen« lauschen und im Anschluss auf der gleichen Bühne in der Megapearls-Disco sich im Takt handverlesener Perlen der Musikgeschichte wiegen (www.alte-kantine.de).

⑤ Strand mit Kulisse Nach zwei Runden Beachvolleyball am coolsten Strand Berlins – im Metaxa Bay Beach Club – in einer Strandliege chillen, bevor abends die Beachpartys losgehen. › S. 176

⑥ Berlin zu Füßen Wer es schafft, die 258 Stufen zur Aussichtsplattform der »Gold-Else« › S. 108, wie die Berliner die Siegessäule nennen, hinaufzuklettern, wird mit einer herrlichen Aussicht auf das grüne Berlin belohnt.

⑦ Filmstadt Berlin Mit dem videoBus zu Originaldrehorten bekannter Filme: An den passenden Orten werden Ausschnitte von u. a. »Die Legende von Paul und Paula«, »Lola rennt« und »Goodbye Lenin« eingespielt (Tour: »Filmstadt Berlin – Das Rollende Kino«, jeden 2. Samstag, Unter den Linden 40, 10117, videobustour.de). [H3]

⑧ Berlin swingt In Clärchens Ballhaus nach einem kurzen Swing-Einführungskurs die Herzdame aufs Parkett schieben, und ab geht's (Augustraße 24, 10117, www.ball

haus.de), es macht noch mehr Spaß mit Klamotten im Stil der 1930er-Jahre, z. B. von Marlenes Töchter (Große Hamburger Straße 19a, 10115, www.marlenes-toechter.de). [H2]

(9) **Paddel-Paradies** Entdecken Sie Neu-Venedig, das romantische Wasserstraßensystem zwischen Müggel- und Dämeritzsee. Boote können z. B. bei 13 Kanus ausgeliehen werden (Am Küstergarten 18A, 12589, www.13kanus.de).

… probieren sollten

(10) **Currywurst** ist der absolute Klassiker der Hauptstadt. Die Brühwurst isst man – das ist die Glaubensfrage – mit oder ohne Darm, dazu scharfe Zwiebeln und natürlich Currysoße, unschlagbar lecker bei Curry 36 (Mehringdamm 36, 10961, tgl. 9–5 Uhr). [H5]

(11) **Schmeckt einfach!** Die Kohlroulade ist ein Klassiker der Berliner Küche und steht in etlichen Lokalen auf der Karte. Besonders schmackhaft und üppig ist die »Kohlroulade à la Heini Holl« mit Speckstippe im Alten Zollhaus. › S. 38

(12) **Berlin mit Stäbchen** Zweifelsohne läuft Anhängern von Dim Sum schon beim Gedanken daran das Wasser im Mund zusammen. In der stylischen Long March Canteen, der Hochburg chinesischer Dim

Urbanes Stranderlebnis: Metaxa Bay

Sum-Variationen (Tapas), knien Fans nieder, ab 5 €. Tipp: verschiedene bestellen und teilen. › S. 38

(13) **Arabische Powerbällchen** Die vegetarische Alternative zu Kebap ist Falafel. Die frittierten Kichererbsenbällchen sind als Falafel-Teller oder mit Sesamsoße im Fladenbrot zu haben, hausgemacht und gut im Sufis, Yorckstr. 82, 10967, sufis-berlin.de. [G5]

(14) **Beliebter Döner** Nein, er wurde nicht am Bosporus, sondern am Bahnhof Zoo erfunden. Kadir Nurman steckte 1972 als Erster das Fleisch vom Drehspieß in ein Fladenbrot und packte Zwiebeln, Salat und Soße dazu. Durchgehend geöffnet ist z. B. Bagdad (Schlesische Str. 2, 10997). [L4]

(15) **Chillen mit Berliner Weiße** Vor allem im Sommer schmeckt das obergärige Bier mit himbeerrotem oder giftgrünem Sirup in Biergärten wie Prater › **S. 40, 132**, oder Loretta am Wannsee erfrischend (Kronprinzessinnenweg 260, 14109).

Die Luftfahrtabteilung im Deutschen Technikmuseum

(16) **Fleisch auf die Hand** Frisch zubereitete Hamburger aus hochwertigen Zutaten und in unzähligen Variationen – vom Chili-Burger bis hin zur veganen Variante – liegen im Trend. Beliebt: Zsa Zsa Burger, Motzstr. 5, 10777. [E5]

(17) **Bezahlbare Gourmetküche** Verwöhnte Zungen genießen beim derzeit angesagtesten Koch Tim Raue (2 Sterne) zur Mittagszeit ein kreatives Menü – z. B. Hummer, Sambal manis & Pomelo als Hauptgericht – schon für 38 €, Restaurant Tim Raue › S. 36.

(18) **Himmlische Verführungen** Leckermäuler können die köstlichen Törtchen von Patissier Guido Fuhrmann – z. B. Himbeeren auf Kakaobiskuit – gleich vor Ort im Café naschen. Werkstatt der Süße › S. 47.

(19) **Original Berliner Bulette** Die Burger haben ihr längst den Rang abgelaufen, dennoch sollte man den Klassiker der Berliner Kneipenküche nicht verschmähen. Oberlecker und in Neuland-Qualität beim Metzger Bünger, Westfälische Straße 53, 10711. [B5]

… bestaunen sollten

(20) **Bus 100** Zum kleinen Preis (Ticket AB für 2,60 €, › S. 28, 169) gibt's bei der Rundfahrt mit dem Linienbus 100 die wichtigsten Sehenswürdigkeiten – vom Bahnhof Zoo über die Siegessäule bis zum Brandenburger Tor – zu sehen.

(21) **Neuer Glanz** Rund um den Ku'damm sorgen der restaurierte Zoo Palast und das Bikini Haus wieder für Glamour › S. 118. Dessen spektakuläre Dachterrasse mit direktem Blick in den Zoo ist der neue Sightseeing-Hotspot!

(22) **Reichstag von oben** In die Reichstagskuppel ohne lange Vor-

anmeldung? Bei der Serviceaußenstelle des Besucherdienstes werden bei freier Platzkapazität bis zwei Stunden vorab personenbezogene Zutrittsberechtigungen ausgestellt › **S. 102**.

(23) **Schrille Mauerkunst** 101 direkt auf die Mauer gemalte Bilder stehen an der East Side Gallery symbolisch für die Überwindung der Teilung und für die Freiheit › **S. 146**. Highlight: das berühmte »Bruderkussgemälde« › **S. 27** des russischen Mauerkünstlers Dimitri Vrubel.

(24) **Nofretete im Neuen Museum** Sie ist das absolute Highlight auf der Museumsinsel. Für die berühmte Büste der ägyptischen Königin von etwa 1341 v. Chr. ist ein eigener Saal im reserviert › **S. 84**.

(25) **Surreales Berlin** Die Stadt kann herrlich surreal sein, etwa bei der Dalí-Schau am Potsdamer Platz › **S. 111**. Auch die vom Papst gesegneten Werke Dalís zur »Apokalypse des Heiligen Johannes« sind hier zu sehen.

(26) **Traum vom Fliegen** Das Deutsche Technikmuseum ist eine fantastische Erlebniswelt › **S. 140**. So kann man u.a. das legendäre Flugzeug Junker JU52 bestaunen und im Science Center Spectrum erfahren, warum es nicht gleich vom Himmel fällt.

(27) **Tierisch gut** Mitten in der City West tummeln sich auf einem 34 ha großen Gelände 14 000 Tiere aus 1552 Arten. Spektakulär: im neuen Vogelhaus mit Baumwipfelweg und drei begehbare Freiflughallen lassen sich grandiose Nahaufnahmen schießen. Zoo Berlin › **S. 108**.

(28) **Das preußische Arkadien** Am Zipfel der Sacrower Halbinsel liegt die italienisch anmutende Heilandskirche › **S. 159**. Über die Havel zur Pfaueninsel, zum Schlosspark Klein-Glienicke und zur Glienicker Brücke reicht die Blickachse von Ost nach West über die ehemalige Grenze.

(29) **Berlin leuchtet** Bei einem der größten Lichtkunst-Festivals der Welt werden im Oktober Sehenswürdigkeiten fantasievoll illuminiert. So lässt man sich von den Farb- und Lichtspielen in eine surreale Welt entführen (festival-of-lights.de).

(30) **Markthalle revitalisiert** In der Arminiusmarkthalle › **S. 47** in Moabit kann man im stilvollen Ambiente Austern, Fisch und mediterrane Feinkost schlemmen, gute Tropfen süffeln, unter Palmen brunchen …

… mit nach Hause nehmen sollten

(31) **Tief durchatmen** Ältere Semester können sich noch an den Gassenhauer erinnern: »Das ist die Berliner Luft, Luft, Luft!« In Souvenirläden zu haben: Berliner Luft in Dosen. Mit Herz und Passion zubereitet, verschlossen und etikettiert.

32 Es grüßt der Ampelmann Seit der Wiedervereinigung ist der »Ampelmann« von der DDR-Ampel Kult und in West wie Ost allgegenwärtig. Ampelmann-Produkte, vom Aufkleber bis zur Umhängetasche, gibt es z. B. im Ampelmann-Shop › **S. 43**.

33 Buddy Bears Die fröhlich bunten Bären haben sich zu echten Berlin-Botschaftern entwickelt. Zu haben in diversen Farben, Größen und Formen, z. B. als Mini Buddy Bear für 14 €, im Shop Berlin Story › **S. 77**.

34 Für die lieben Kleinen Damit sich der Nachwuchs auch später an seinen Berlinbesuch erinnert, gibt es bei »ach Berlin« u. a. Baby-Baseball-T-Shirts Berlin, Essbrettchen mit Berlinmotiven oder Fernsehturm-Rasseln (10117, Markgrafenstr. 39, www.achberlin.de). **[H3]**

35 Romantik pur Ein Sonnenuntergang in Berlin kann noch schöner als in der Karibik sein, am besten auf die Oberbaumbrücke zwischen Kreuzberg und Friedrichshain gehen › **S. 146**, Fotos von der rotglühenden Skyline machen und zu Hause weiter träumen.

36 Berlin am Weihnachtsbaum Bei Käthe Wohlfahrt ist jeden Tag Weihnachten: 9000 Artikel führt der Laden, darunter Berlinmotive wie Brandenburger Tor und Berliner Skyline als Christbaumschmuck (Ku'damm 225/226, 10719). **[D4]**

37 Heimweh nach Berlin – Achtzig »Lieder mit Berliner Schnauze« verschiedener Interpreten in einer 4-CD-Box halten die Erinnerung an die Hauptstadt wach. Erhältlich z. B. im Shop Berlin Story › **S. 77**.

38 Schmackiges Mitbringsel Currywurst-Fans nehmen aus dem Shop des Berliner Currywurstmuseums in Mitte als Erinnerung eine Currywurst mit Pommes – aus Marzipan – mit nach Hause. (Schützenstr. 70, 10117). **[H4]**

39 Kunst aus Berlin für daheim Die Galerie art4berlin in Mitte erfreut mit modernen, großformatigen Gemälden von Berliner Künstlern und noch unentdeckten Talenten zu »außergewöhnlich günstigen Preisen« von 20 bis 990 € (Oranienburger Str. 86, 10178). **[H2–J2]**

40 Praktisches und Schräges Im Erfinderladen gibt es Dinge, die es sonst gar nicht gibt wie peppige *baghanger* für das Aufhängen von Handtaschen an Tischen und Tresen in Kneipen. Erfinder können

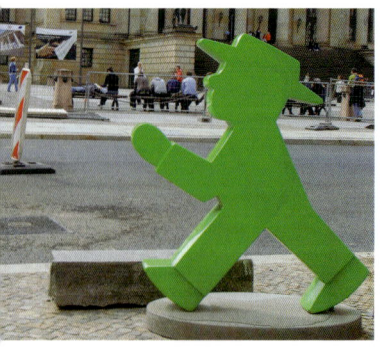

Der »DDR-Ampelmann« genießt Kultstatus

hier ihre Objekte präsentieren (Lychener Str. 8, 10437, Mo–Sa 11 bis 20 Uhr).

… bleiben lassen sollten

41 Semmeln bestellen Die Berliner pflegen ihre Eigenheiten hingebungsvoll. Daher erwarten sie, dass Besucher und Zugezogene sich anpassen. Semmel oder Wecken bestellen geht daher gar nicht, mit »Schrippe« läuft alles rund.

42 Berlin geringschätzen Berliner sind von sich und ihrer Stadt absolut überzeugt. »Man kann nirgendwo anders leben als an der Spree.« Daher sind sie auch nur mäßig daran interessiert, zu hören, wie schön es in anderen Städten sei.

43 Die Feier-Tram Wenn sie nicht darauf aus sind, sich unter feierndes und lärmendes Partyvolk zu mischen, sollten sie die Tramlinie M10 zu nächtlicher Stunde besser meiden. Dann wird die »Zehner« gerne zur internationalen Party-Tram.

44 Falscher Einstieg Die ruppige Art der Busfahrer sollten unkundige Berlin-Besucher nicht persönlich nehmen. Besser darauf achten: Eingestiegen wird grundsätzlich vorne. Sonst Anpfiff! Ausnahmen: Kinderwagen und Rollstuhlfahrer.

45 Berliner verlangen Das mit Konfitüre oder Pflaumenmus gefüllte Siedegebäck heißt überall in der Republik Berliner, nur nicht in Berlin. Hier gehen die gefüllten Krapfen als »Pfannkuchen« über die Theke.

46 Stößchen oder Durch ordern Kleine Biere wie 0,2-Liter, Stößchen oder Durch bestellt der Berliner nicht in einer Kneipe. »Ein Bier«, altberlinerisch »Molle«, sind 0,4 Liter, ein Großes, also ein halber Liter, ist akzeptabel.

47 Auto-Nerv von West nach Ost Die Berliner Zentren liegen augenscheinlich nah beieinander. Im Berufsverkehr (7–10, 15–20 Uhr) wird die Fortbewegung im PKW allerdings zur zeitaufwendigen Nerv-Tour. Besser die öffentlichen Verkehrsmittel (BVG) › **S. 28** benutzen.

48 Hütchenspieler Trotz Platzverweisen tauchen die Hütchenspieler an den touristischen Hotspots auf und ziehen mit ihrem Taschenspieler-Trick unvorsichtigen Menschen das Geld aus der Tasche.

49 Kneipentour der rustikalen Art Diese Art des nächtlichen Berlin-Vergnügens wird von vielen Veranstaltern angeboten und gern von jüngeren Leuten aus aller Welt gebucht, sie enden häufig peinlich.

50 Berlin rappelvoll Zu Messen wie der ITB, der Grünen Woche oder bei Pokalendspielen sind die Hotels meist ausgebucht und überteuert. Besser vorab in den Veranstaltungskalender schauen: www.berlin.de/events/jahresuebersicht/

Die ganze Welt von POLYGLOTT

Mit POLYGLOTT ganz entspannt auf Reisen gehen. Denn bei über 150 Zielen ist der richtige Begleiter sicher dabei. Unter www.polyglott.de finden Sie alle POLYGLOTT Reiseführer und können ganz einfach direkt bestellen. GUTE REISE!

Meine Reise, meine APP!
Ob neues Lieblingsrestaurant, der kleine Traumstrand, die nette Boutique oder ein besonderes Erlebnis: Die kostenfreie App von POLYGLOTT ist Ihre persönliche Reise-App. Damit halten Sie Ihre ganz individuellen Entdeckungen mit Fotos und Adresse fest, verorten sie in einer Karte, machen Anmerkungen und können sie mit anderen teilen. So wird Ihre Reise unvergesslich.

Mehr zur App unter www.polyglott.de/meineapp und mit dem QR-Code direkt auf die Seite gelangen

Geführte Tour gefällig?
Wie wäre es mit einer spannenden Stadtrundfahrt, einer auf Ihre Wünsche abgestimmten Führung, Tickets für Sehenswürdigkeiten ohne Warteschlange oder einem Flughafentransfer? Buchen Sie auf **www.polyglott.de/tourbuchung** mit rent-a-guide bei einem der deutschsprachigen Guides und Anbieter weltweit vor Ort.

Clever buchen, Geld sparen m*
Gutscheinaktion unt
www.polyglott.de/tourbuchur

www.polyglott.de

Was steckt dahinter?

Die kleinen Geheimnisse sind oftmals die spannendsten. Wir erzählen die Geschichten hinter den Kulissen und lüften für Sie den Vorhang.

Wo kommt das Wort »Litfaßsäule« her?

Mit der Litfaßsäule beginnt die Erfolgsgeschichte der Außenwerbung. Heute stehen allein über 3000 Stück in der Innenstadt von Berlin. Erfunden wurde sie von Ernst Litfaß. Und wie bei so vielen Dingen sind die Hauptstädter stolz darauf, dass sie eine Berliner Erfindung ist. Es gibt sogar ein Denkmal, an der Stelle, wo vor fast 160 Jahren in der Münzstraße in der Nähe vom Alexanderplatz die erste Berliner Litfaßsäule aufgestellt wurde.

Was hat es mit dem »Raum der Stille« auf sich?

Auf dem Pariser Platz geht es fast immer turbulent zu. Touristen fotografieren sich vor dem Brandenburger Tor, Reisegruppen ballen sich um ihren Reiseführer und Berliner hetzen zum nächsten Termin. Aber im Raum der Stille herrscht Ruhe. Seit über 15 Jahren gibt es im nördlichen Brandenburger Tor diesen Ort, der Berlinbesuchern Gelegenheit gibt, zur Ruhe zu kommen und zu entspannen.

Kaum 30 m² groß, mit einfachen Sitzgelegenheiten und einem Wandteppich der ungarischen Künstlerin Ritta Hager zum Thema »Licht, das die Finsternis durchdringt« – der Raum ist eine Mahnung zur Toleranz zwischen allen Nationalitäten und Weltanschauungen. Er wurde dem Meditationsraum, den der damalige schwedische UNO-Generalsekretär Dag Hammarskjöld 1957 im UNO-Gebäude in New York einrichten ließ, nachempfunden.

Welche Geheimnisse birgt der Teufelsberg?

Er ist nur 120 m hoch, aber die Berliner lieben den Teufelsberg. Auf dem von sogenannten Trümmerfrauen und Schuttfahrern erschaffenen künstlichen Hügel im Grunewald trieben in den fünfziger und sechziger Jahren Tausende West-Berliner Wintersport. Sogar ein Ski-Weltcup-Rennen fand hier statt.

Der Teufelsberg ist aber auch ein geschichtsträchtiger Ort. Die Alliierten bauten im Kalten Krieg auf der Spitze des Haupthügels einen riesigen Gebäudekomplex, dessen weiße Kuppeln über die ganze Stadt zu sehen sind, sie hörten von hier die Staaten des Warschauer Pakts ab. Auch der kleinere Hügel, auf dem die Berliner gerne Drachen steigen lassen, verbirgt ein dunkles Geheimnis. Unter ihm sind 17 m hohe Gebäude verborgen, die zur Hochschulstadt von Albert Speers »GERMANIA« gehören sollten. Die Dokumentation »Der Teufelsberg« gibt einen spannenden Einblick in die bewegte Geschichte des Doppelhügels.

Ein- und Ausblicke – die gläserne Reichstagskuppel

REISE-PLANUNG & ADRESSEN

Die Stadtviertel im Überblick

Hat Berlin eine Mitte? Sicherlich, den Bezirk Mitte gibt es – aber liegt dort auch Berlins Zentrum?

Wenn man es geschichtlich betrachtet, dann liegt das sogenannte **historische Zentrum** links und rechts des Prachtboulevards Unter den Linden – zwischen dem Brandenburger Tor am Pariser Platz und dem Ort, wo einst das Stadtschloss stand und jetzt wieder aufgebaut wird. Dieses Zentrum schließt auch das UNESCO-Welterbe Museumsinsel, den Gendarmenmarkt und die Friedrichstraße ein.

Zu DDR-Zeiten lag das unangefochtene Zentrum der Hauptstadt im Bezirk **Mitte** rund um den **Alexanderplatz**. Der Kontrast zwischen der alten Bausubstanz wie zum Beispiel der Marienkirche oder dem Nikolaiviertel und den Bauten der klassischen (Ost-)Moderne wie dem Fernsehturm könnte kaum größer sein. Fragt man jedoch die zahlreichen jungen Hauptstadtbesucher, wo Berlins Zentrum sei, dann gibt es zumeist nur eine Antwort: rund um den Hackeschen Markt, in der sogenannten nördlichen Mitte mit Oranienburger Straße und Scheunenviertel. Hier gibt es schicke Läden, eine vibrierende Kunst- und Kulturszene. Hier entstehen Trends, hier geht man aus und amüsiert sich. Hier ist Berlin wohl am kosmopolitischsten.

Nur wenige Meter vom Pariser Platz erhebt ein Gebiet einen »Mitte-Anspruch«, das bis Ende der 1980er-Jahre zum Todesstreifen gehörte: der **Potsdamer Platz**. Vor dem Zweiten Weltkrieg tobte hier urbanes Leben. Und heute ist der wieder auferstandene Platz mit den angrenzenden Arealen wie dem Leipziger Platz, dem Kulturforum und den Ministergärten, umgeben vom **Tiergarten** und dem **Regierungsviertel**, wieder in die Mitte gerückt, wie auch die vielen ausländischen Besucher rund um Sony-Center, den Marlene-Dietrich-Platz und den Leipziger Platz zeigen. Aber das

---

Daran gedacht?

Einfach abhaken und entspannt abreisen

- [ ] Personalausweis
- [ ] Flug-/Bahn-/Bustickets
- [ ] Fahrzeug-/Führerschein
- [ ] Kreditkarte einstecken
- [ ] ggf. Kleingeld für die Parkuhren
- [ ] Hotelreservierung
- [ ] Online-Tickets für Museen, Reichstagskuppel, ggf. Plenarsaalsitzung
- [ ] Akkus und Ladegeräte für Handys und Fotoapparate
- [ ] Medikamente und Blasenpflaster
- [ ] Im Herbst und Winter Regenschirm nicht vergessen

Die Stadtviertel im Überblick

Reiterstandbild vor dem Alten Museum

klassische Zentrum ist der Potsdamer Platz dennoch nicht. Zumindest für die Westberliner ist das nach wie vor der Ku'damm, der Tauentzien, die Gedächtniskirche und das KaDeWe – und damit die Schnittmenge aus den drei Innenstadtbezirken Schöneberg, Charlottenburg und Wilmersdorf, die **City-West** genannt wird. Was Shopping angeht, halten sich inzwischen Ku'damm und Friedrichstraße die Waage. Und was die Museumsinsel für das Historische Zentrum ist, ist das **Schloss Charlottenburg** für die City-West.

Aber was ist eine Mitte ohne Peripherie? Prenzlauer Berg, Kreuzberg, Friedrichshain, Schöneberg liegen an der Peripherie, wenn man von den vorstehend beschriebenen Gebieten ausgeht. Aber sie sind, betrachtet man ganz Berlin, doch ebenso »in der Mitte«. Peripherie, das ist in Berlin etwas anderes – ganz weit draußen. Und auch wenn viele Menschen aus innerstädtischen Bezirken ins Umland ziehen, ist der Bezirk **Prenzlauer Berg** mit seinen schön restaurierten Altbauten bei jungen wohlhabenden Familien eine der beliebtesten Wohngegenden Berlins; hier ist die Kinderwagendichte am größten. Rund um Kollwitz- und Helmholtzplatz hat sich eine lebendige Restaurant- und Kneipenszene etabliert und auch das Kulturangebot, etwa in der KulturBrauerei, kann sich sehen lassen.

Kreuzberg, für die einen Negativ- für die anderen Positivbeispiel für eine multikulturelle Gesellschaft, war einst hinterstes West-Berlin und rückte erst durch den Mauerfall in die Mitte der Stadt, wo es zusammen mit **Friedrichshain** einen lebendigen Ost-West-Bezirk bildet, in dem sich besonders an der Spree viel tut. Im Herbst 2008 wurde die neue »O$_2$ World« eröffnet. Das umliegende ehemalige Industriegebiet wird zum Komplex Media Spree

Klima & Reisezeit

mit Geschäfts- und Wohnhäusern sowie Hotels etc. entwickelt. Reste der Mauer, die einst die Bezirke trennte, sind an der East Side Gallery zu sehen.

Ganz im Gegensatz dazu stehen die grünen Außenbezirke und das **Umland** sowie das benachbarte **Potsdam** mit seiner UNESCO-Welterbe-Landschaft. Gleich ob im Südwesten rund um den **Wannsee** oder im Südosten rund um **Müggelsee** und **Köpenick** – hier ist Berlin Idyll.

Klima & Reisezeit

Die Metropole liegt im Übergang von ozeanischem zu kontinentalem Klima – das bedeutet heiße, trockene Tage im Sommer und oft klirrende Kälte im Winter. Der Wind weht meist von Westen. An die 885 Sonnenstunden waren der Stadt 2013 beschieden, womit sie eine der sonnenreichsten in Deutschland ist. Die durchschnittliche Niederschlagsmenge pro Jahr liegt weit unter der von Lübeck oder Frankfurt (2013: 640 mm). Durch den kräftigen Wind entwickelt sich in den breit angelegten Straßenzügen leicht eine Art Düsenwirkung, die den Fußgänger ungemütlich durchpusten kann. Die ideale Reisezeit sind Mai und Juni sowie von Mitte August bis Oktober.

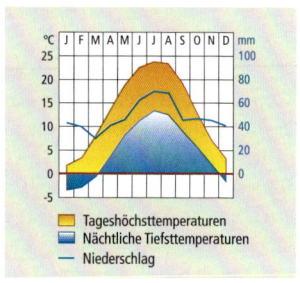

Anreise

Berlin hat zwei Flughäfen (Auskünfte unter Tel. 60 91 11 50 oder www.berlin-airport.de): **Schönefeld** (SXF; Ⓤ 7 Rudow und Bus X 7, 164, 171, Nachtbus N 7, Regionalbahn, Ⓢ 9, 45) und **Tegel** (Buslinien 109, 128, X 9, TXL). Der Eröffnungstermin des neuen Großflughafen **Berlin Brandenburg International (BBI)** in Berlin-Schönefeld steht noch nicht fest.

Die großen Fernbahnhöfe sind der **Hauptbahnhof**, **Südkreuz** (Südverbindungen), **Berlin-Spandau** (Nord/West) und **Gesundbrunnen** (Nord/Ost), Deutsche Bahn AG, Tel. 018 06/99 66 33, www.bahnhof.de, www.bahn.de.

Fernbusse sind sehr beliebt und verkehren vom **Zentralen Omnibusbahnhof (ZOB)**, (Masurenallee 4–6, Charlottenburg, Ⓤ Kaiserdamm, Ⓢ Messe Nord/ICC). Unter www.iob-berlin.de, »Abfahrten«, lassen sich die Tarife der Busgesellschaften vergleichen und die Tickets online buchen.

Stadtführungen & -touren **SPECIAL**

SPECIAL

Stadtführungen & -touren

Das Angebot an Stadtrundfahrten und -führungen ist groß – eine gute Gelegenheit, die Stadt kennen zu lernen. Auch mit den öffentlichen Buslinien 100 und 200 oder der Tramlinie M1 kann man Berlin erkunden; sie passieren viele Sehenswürdigkeiten und sind billiger.

Die Klassiker

- **BEX Sightseeing** [D4]
  Moderne Doppeldecker-Busse
  Kurfürstendamm 216 | 10719
  Tel. 880 41 90
  www.berlinerstadtrundfahrten.de
- **Berolina**
  U. a. »City-Circle« mit 20 Haltepunkten
  Ordensmeisterstr. 36-38 | 12099
  Tel. 88 56 80 30
  www.berolina-berlin.com
- **Berlin on bike** [J1]
  Neben verschiedenen Radtouren gibt es auch eine Kanutour, Treff Fahrraddepot in der KulturBrauerei, Hof 4.
  Knaackstr. 97 | 10435 | Prenzl. Berg
  Tel. 43 73 99 99
  www.berlinonbike.de
- **fahrradstation** [H3]
  Laden mit -verleih und Stadtführungen am Bahnhof Friedrichstraße.
  Dorotheenstr. 30 | 10117 | Mitte
  Tel. 28 38 48 48
  www.fahrradstation.com
- **Sta* Tours**
  Führungen mit Chauffeur oder Fahrrad zu Anwesen, in denen Stars wohnten (u. a. Romy Schneider, Zarah Leander).
  Tel. 30 10 51 51 | www.sta-tours.de
- **Stern und Kreisschiffahrt** [M5]
  Die Flotte ist auf Wannsee, Müggelsee und auf den Kanälen unterwegs (nicht im Winter).
  Puschkinallee 15 | 12435 | Treptow
  Tel. 53 63 60-0
  www.sternundkreis.de
- **Berliner Wassertaxi**
  Moderierte Rundfahrten, Anlegestellen u. a.: Zeughaus und DomAquarée
  Tel. 65 88 02 03 | Fax 65 88 02 04
  www.berlinerwassertaxi.de

Bei einer Innenstadttour hat man einen fantastischen Blick auf das Kanzleramt

SPECIAL Stadtführungen & -touren

Und für Besucher, die sich abseits der üblichen Touristenrouten mit der Stadt beschäftigen möchten, gibt es jede Menge Angebote:

Mauerspaziergänge

Auch wer unkonventionelle Wege beschreitet, dem stellt sich hin und wieder die Frage: Wo war die Mauer? Das beantworten Urgesteine unter den Stadtspaziergängern wie **StattReisen Berlin** mit ihren »Grenzgängen« – Fußmärsche entlang dem ehemaligen Grenzsteifen. Für alle, die es gern bequemer haben: Virtuelle Mauerstreifzüge kann man unter www.die-berliner-mauer.de unternehmen.

- **StattReisen Berlin**
  Liebenwalder Str. 35a
  13347 | Wedding
  Tel. 455 30 28
  www.stattreisenberlin.de

Kulturelle Schleichwege

Seit Jahren nimmt **art:berlin** Stadterkundern die letzten Schwellenängste und spaziert mit ihnen zu unkonventionellen Galerien oder sagt sich bei Künstlern im Atelier an. Und es kommen immer noch neue Streifzüge hinzu zu Themen wie Architektur, Mode- und Kunstszene, zu Kunstmessen wie art forum berlin, zu Literatur, zu den Botschaften, durchs Regierungsviertel, Hotelbesichtigungen bis hin zu einem kulinarischen Rundgang im Prenzlauer Berg.

- **art:berlin, Elke Melkus** [F4]
  Potsdamer Str. 68 | 10785 | Tiergarten
  Tel. 28 09 63 90
  www.artberlin-online.de

Zu den Wirkungsstätten bekannter Töchter Berlins führen die **Frauentouren** der Historikerin Beate Neubauer (Tel. 27 59 27 09) und der Politikwissenschaftlerin Claudia von Gélieu (Tel. 626 16 51) – auch interessierte Männer sind willkommen (www.frauentouren.de).

Sightseeing und Sport lassen sich verbinden: Ob durch den Schlosspark Charlottenburg, das Regierungsviertel oder entlang der Mauer – bei **Sightjogging Berlin** (www.sightjogging-berlin.de) wie auch bei **Mike's Sight Running** (www.mikessightrunning.de) finden Touren im Laufschritt statt.

Berliner Autorenführungen veranstaltet Touren wie »Berlins Hinterhöfe – Zwischen Kleinstadtidyll und Hauptstadtfieber« oder »Mit Theodor Fontane durch das alte Berlin«.

- **Berliner Autoren Führungen** [H2]
  Große Hamburger Str. 29
  10115 | Mitte
  Tel. 282 58 77
  www.berliner-autoren-fuehrungen.de

Durchs kriminelle Berlin

Tatorte von Gaunern und Gangstern kennen lernen und erfahren, wie Ernst Gennat, der »Buddha der Kriminalisten«, in den 1920er-Jahren die spektakulärsten Mordfälle aufklärte – das bietet die Tatort-Tour »Das kriminelle Berlin – Gauner, Gangster, Galgenvögel« veranstaltet von Stadtverführungen Kultur Büros. Es gehört zur Riege der themenorientierten Stadt(ver)führer, die weniger Überblick, dafür spannende Einblicke geben und ihre Teilnehmer nicht in einen kli-

Stadtführungen & -touren SPECIAL

matisierten Bus verfrachten, sondern per pedes, per Rad, mit U- oder S-Bahn durch die Kieze führen (1½- bis 2-stündige Touren ca. 10 €). Geboten werden auch Stadt- und Museumsführungen, Architektur- und Parkspaziergänge etc.
- **Stadtverführung Kultur Büro**
  Malmöer Str. 6 | Prenzlauer Berg 10439 | Tel. 444 09 36
  www.stadtverfuehrung.de

Ganz unten in Berlin

Durch ehemalige Bunker, verborgene Fabriken, alte U-Bahnstationen und Geisterbahnhöfe pirscht der **Verein Berliner Unterwelten** (Tel. 49 91 05 17, Karten: südliche Vorhalle Ⓢ/Ⓤ Gesundbrunnen, 13355, Wedding, Brunnenstr. 105, www.berliner-unterwelten.de, Tour Dunkle Welten Do–Mo 12, 14, 16 Uhr, März–Nov auch Mi 12, 14, 16 Uhr, April–Okt. auch Sa/So 10 Uhr).

Einmal selbst Trabi fahren!

»Ostalgisch« im Zweitakter geht es bei den Trabi-Safaris durch Berlin zu, Erläuterungen zu Sehenswürdigkeiten kommen live per Funk. Ab 34 €/Pers. Zu buchen bei:
- **Trabi-Safaris**
  Tel. 30 20 10 30,
  www.trabi-safari.de

Unter www.gratis-in-berlin.de gibt es Tipps für kostenlose Events in Berlin.

Zu Berlinern nach Hause

Wer Kontakt zu Berlinern sucht, kann diese im Rahmen von **Wohnzimmertouren** in ihrem Zuhause besuchen (www.opendoorsberlin.de). Möglich ist auch, mit Berliner Musikfans gemeinsam ein Konzert in Berliner Wohnungen zu besuchen (homeopera.net).

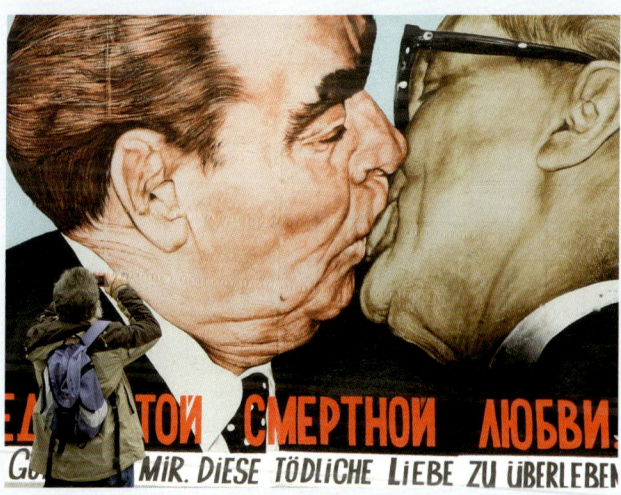

»Bruderkuss« – berühmt gewordene Wandmalerei an der East Side Gallery

Stadtverkehr

Zum städtischen Nahverkehrsnetz gehören U-Bahn, Omnibus, Metrobus, Straßenbahn und Metro Tram der BVG sowie die S-Bahn. Zwischen Mitternacht und 4 Uhr verkehren Nachtbusse, mit einem »N« gekennzeichnet.

Alle U-Bahnlinien, außer Ⓤ 4 und Ⓤ 55, fahren am Wochenende auch nachts im 15-Minuten-Takt. Fahrscheine kann man im Bus beim Fahrer lösen, in der Straßenbahn im ersten Wagen, bei S- und U-Bahn an den Automaten auf den Bahnsteigen. Fahrpläne sind an allen BVG-Schaltern erhältlich (Berliner Verkehrsbetriebe, Tel. 194 49; Mobilitätsinfos für Behinderte im Internet unter www.bvg.de und www.s-bahn-berlin.de).

Berlin und das Umland sind in 3 Tarifzonen (A, B und C) aufgeteilt. Für alle Fahrten innerhalb des Stadtgebietes reicht das Ticket AB aus. Für den Ausflug nach Potsdam oder zum künftigen Flughafen BBI benötigt man ABC (wer schon einen Fahrschein AB hat, kauft ein Ergänzungsticket C).

Das **Kurzstrecken-Ticket** (3 U-Bahn- oder 6 Bus-Stationen ohne Umsteigen) kostet 1,50 €, das **Normal-Ticket** (120 Min. gültig, keine Rückfahrt) Zone AB 2,60 €, die **Tageskarte** AB 6,70 € oder die 4-Fahrten-Karte AB für 8,80 €. Für Familien und Gruppen von 3–5 Personen lohnt sich eine **Kleingruppen-Tageskarte** AB 16,20 €, ABC 16,70 €. Die **Berlin WelcomeCard** bietet freie Fahrt mit der BVG und 50 % Ermäßigung für rund 200 Sehenswürdigkeiten. Zone AB, pro Person: 48 Std. 18,50 €, 72 Std. 25,50 €, 5 Tage 32,50 €.

Taxis kann man rund um die Uhr bestellen, z. B. Funk Taxi Berlin (Tel. 26 10 26), City Funk (Tel. 21 02 02, auch Großraumtaxi), Würfelfunk Taxi (Tel. 21 01 01). **Taxikurzstrecke** › »Gut zu wissen«, S. 161. Mit den **Velotaxis** ist man ohne PS in der Stadt unterwegs. Velotaxis kann man von Ende März bis Oktober wie ein Taxi rufen oder für Stadtführungen buchen (Tel. 01 78-800 00 41, www.velotaxi.de).

Fahrradverleih

In Berlin gibt es zahlreiche Fahrradverleiher, unter anderem eine Verleihstation der Deutschen Bahn am Bahnhof Zoo. **Call-Bikes der Bahn** sind im ganzen Stadtgebiet zu finden. Nach einer Registrierung unter Tel. 070 00-522 55 22 (5 €) oder unter www.callabike-interaktiv.de (kostenlos) kann jederzeit per Telefonanruf ein Fahrrad entliehen werden. Call a Bike kostet im Normal-Tarif 8 Cent pro Minute, höchstens aber 15 € pro 24 Std. Der Jahrestarif beträgt maximal 48 €.

So funktioniert auch das Ausleihsystem bei **nextbike**, die zahlreiche Ausleihpunkte in Berlin besitzen. Auch hier muss man sich zuerst registrieren: Tel. 69 20 50 46 oder www.nextbike.de. Die Fahrräder müssen an der Ausleihstation wieder zurückgegeben werden. Ohne RadCard: 2 €/Std., 9 €/Tag.

Mit Kindern in der Stadt SPECIAL

SPECIAL

Mit Kindern in der Stadt

Ist Berlin eine kinderfreundliche Stadt? Da sind sich zumindest die Hauptstadtbewohner nicht unbedingt einig. Tatsache aber ist, dass Berlin auch für Kids in jedem Fall eine Reise wert ist. Und das nicht nur wegen Eisbär Knut. Der hat zwar dem Berliner Zoo neue Besucherrekorde beschert, aber auch ohne den mittlerweile verstorbenen Eisbären sind der **Zoologische Garten** mit **Aquarium** › S. 108 (Budapester Str. 32, 10787) und der **Tierpark Friedrichsfelde** (Am Tierpark 125, 10319) echte Attraktionen für Groß und Klein. Tierisches Vergnügen bereitet auch der Besuch des **Aqua-Dom & Sea Life** (Spandauer Str. 3, 10178, Mitte) › S. 83.

Aber Berlin hat in jeder Beziehung einen hohen Freizeitwert. So laden im Sommer die zahlreichen Seen mit ihren Badestellen und Freibädern wie dem größten Binnenbad Europas, dem **Strandbad Wannsee** (Wannseebadweg 25, 14129, Zehlendorf, Ⓢ Nikolassee), zum Schwimmen ein. Freizeitparks wie der **Freizeitpark Lübars** (Eingang: Quickborner Straße, 13469, Reinickendorf) mit Jugendfarm, und Freizeitcenter wie das **FEZ Berlin** (An der Wuhlheide 197, 12459, Köpenick) bieten zahlreiche Aktivitäten bei jedem Wetter.

Eher etwas für schöne Tage sind ungewöhnliche Spielplätze wie der »Gummispielplatz« mit XL Klettergerüst am Winterfeldtplatz in Schöneberg, der »Drachen-Spielplatz« in der Schreinerstraße in Friedrichshain oder der 7000 m² große, pädagogisch betreute »Natur- und Abenteuer-Spielplatz«, auf dem auch Tiere leben, in Köpenick (Alte Kaulsdorfer Str. 18, 12555).

Im Monbijoupark (Oranienburger Straße, 10178, Mitte) gibt es das **Kinderbad Monbijou**, in dem nur Kids planschen dürfen, sowie die

Freizeitvergnügen im Strandbad Wannsee

SPECIAL Mit Kindern in der Stadt

Märchenhütte, in der im Winter Märchen auf die Bühne kommen.

Kultur für Kinder

Kulturell ist das Angebot für Kinder wohl so groß wie in kaum einer anderen europäischen Stadt. Das Angebot reicht von Museen wie dem **Labyrinth Kindermuseum** Berlin (Osloer Str. 12, 13359, Wedding), dem **Deutsches Technikmuseum** › S. 140 (Trebbiner Str. 9, 10963, Kreuzberg), dem **Museum für Naturkunde** › S. 95 mit seinen riesigen Dinosaurierskeletten (Invalidenstraße 43, 10115, Mitte) über Kindertheater wie das Musiktheater **Atze** (Luxemburger Str. 20, 13353, Wedding) oder das **Grips Theater** › S. 107 (Altonaer Str. 22, 10557, Tiergarten) bis hin zum Kinderzirkus der **ufa-Fabrik** (Viktoriastraße 10–18, 12105, Tempelhof) mit seiner Kinderzirkusschule.

Sportliche Aktivitäten

Doch auch sportlich können sich Kids in Berlin mühelos betätigen, etwa beim Klettern an den Kletterwänden von **Magic Mountain** (Böttgerstr. 20-26, 13357, Wedding, www.magicmountain.de) oder in der **T-Hall Berlin** (Thiemannstr. 1, Tor 4, 2. Hof, 12059, Neukölln, www.diekletterhalle.de).

Stadtführungen für Kinder und Eltern

• **Berlin mit Kindern**
Hertzbergstraße 13
12055 | Neukölln
Tel. 33 02 98 70
www.berlin-mit-kindern.de

• Eine spannende Stadtführung für Kids ist »Emils neue Detektive« von **StattReisen Berlin**
Liebenwalder Str. 35
13347 | Wedding
Tel. 455 30 28
www.stattreisenberlin.de

Nützliche Adressen

Veranstaltungshinweise für Eltern und Kinder stehen in den Stadtmagazinen **tip** und **zitty**.

Und möchten Eltern Berlin einmal ohne die lieben Kleinen erleben, kein Problem, der **Babysitter-Express** hilft rund um die Uhr. Beschäftigt werden nur Babysitter mit langjährigen pädagogischen Erfahrungen.

• **Babysitter-Express** [K1]
Marienburger Str. 2
10405 | Prenzlauer Berg
Tel. 40 00 34 00 | 01 60/97 22 06 65
www.babysitter-express.de

Das Nilpferd-Areal im Zoologischen Garten

Unterkunft

Berlin bietet seinen Gästen jährlich ein umfangreicheres Angebot an Unterkünften für jeden Geldbeutel und Geschmack – vom Schlosshotel bis zum Campingplatz, und der Hotelbauboom hält nach wie vor an.

Behilflich bei der Zimmersuche sind die Berlin Tourismus & Kongress GmbH (www.visitberlin.de, › S. 174) sowie NetHotels Berlin (www.berlin.nethotels.com oder 24-Std.-Buchungs-Hotline Tel. 00 80-11 20 11 40).

Verwöhn-Hotels

Grand Hyatt €€€ [G4]
Schickes Design, mit Metropole-Flair am Potsdamer Platz.
- Marlene-Dietrich-Pl. 2 | 10785 Tiergarten | Tel. 25 53 12 34
  www.berlin.grand.hyatt.com

Hotel de Rome €€€ [H3]
Luxushotel von Rocco Forte in der ehemaligen Zentrale der Dresdner Bank am Bebelplatz direkt neben der Staatsoper. Traumhaftes Spa.
- Behrenstr. 37 | 10117 | Mitte Tel. 460 60 90
  www.hotelderome.com

Swissôtel Berlin €€€ [D4]
Hypermodernes 5-Sterne-Hotel in einer Seitenstraße vom Ku'damm, genau gegenüber dem Kranzler-Eck.
- Augsburger Str. 44 | 10789 Charlottenburg | Tel. 22 01 00
  www.swissotel-berlin.com

Design-Hotels

The Mandala €€–€€€ [G4]
Das toll gestylte Design-Hotel gegenüber dem Sony-Center gefällt mit 166 Suiten von modern-schlichter Eleganz. Erstklassig sind das Sternerestaurant Facil › S. 35 und die Lounge Qiu.
- Potsdamer Str. 3 | 10785 | Tiergarten Tel. 590 05-00 00
  www.themandala.de

The Dude €€–€€€ [J3]
Individuelles, von Alexander Schmidt-Vogel sehr persönlich geführtes Boutiquehotel. Komfortable, große Zimmer und mit dem The Brooklyn ein Top-Restaurant (Mo–Sa 18–24 Uhr).
- Köpenicker Str. 92 | 10719 | Mitte Tel. 411 98 81 77
  www.thedudeberlin.com

Ku'Damm 101 €€ [B3]
Schickes Boutiquehotel mit 170 Zimmern. Puristische Inneneinrichtung, Farbgestaltung nach Le Corbusier. Frühstücksbar im 7. Stock.
- Kurfürstendamm 101 | 10711 Wilmersdorf | Tel. 52 00 55-0
  www.kudamm101.com

In der Ost-City

Ritz-Carlton €€€ [G4]
Luxushotel mit 320 Zimmern und Suiten im Beisheim-Center am Potsdamer Platz, im Stil US-amerikanischer Art-déco-Hochhäuser.
- Potsdamer Platz 3 | 10785 | Tiergarten Tel. 33 77 77 | Fax 337 77 55 55
  www.ritzcarlton.com

! Erstklassig

Charmant übernachten

- **25hours Hotel Bikini Berlin** €€ [D4]
  Anfang 2014 eröffnetes Lifestylehotel. Top: das Restaurant NENI und die Monkey Bar im 10. Stock.
  Budapester Str. 40 | 10787 Charlottenburg | Tel. 120 22 10
  www.25hours-hotels.com
- **Hotel am Steinplatz** €€ [D4]
  Sehr charmantes Boutiquehotel mit 84 Zimmern und 3 Suiten.
  Steinplatz 4 | 10623 Charlottenburg | Tel. 55 44 44 0
  www.marriott.de
- **Das Stue** €€€ [D4]
  5-Sterne-Design-Hotel direkt am Zoo. Schönes Interieur dank Patricia Urquiola, erlesene Küche dank Sternekoch Paco Perez.
  Drakestr. 1 | 10787 | Tiergarten
  Tel. 31 17 22-0
  www.das-stue.com
- **Ellington** €€ [E4]
  Modernes Hotel der Kategorie 3-Sterne-Plus, angegliedert ist das Restaurant Duke.
  Nürnberger Str. 50-55 | 10789 Schöneberg | Tel. 68 31-50
  www.ellington-hotel.de
- **Eastern Comfort** € [L4]
  An der Oberbaumbrücke liegt das schmucke Hostelboot vor Anker. Man übernachtet in Doppelkabinen oder im Schlafsack auf dem Oberdeck.
  Mühlenstr. 73 | 10243 | Friedrichshain | Tel. 66 76 38-06
  www.eastern-comfort.com

monbijou hotel €€ [H2]
Neues, charmantes Boutiquehotel mit 101 Zimmer und Suiten direkt am Hackeschen Markt.
- Monbijouplatz 1 | 10178 | Mitte
  Tel. 61 62 03 00
  www.monbijouhotel.com

Casa Camper €€ [J2]
Geschmackvolles Boutiquehotel mit 51 kreativ eingerichteten Zimmern und Suiten des spanischen Schuh-Labels Camper. Toll: die Dachterrasse und das Restaurant Dos Palillos.
- Weinmeisterstr. 1 | 10178 | Mitte
  Tel. 20 00 34 10
  www.casacamper.com/berlin/

ackselhaus €–€€ [J1]
Charmantes Hotel, Apartments im Altbau. Schöner Garten.
- Belforter Str. 21 | 10405
  Prenzlauer Berg | Tel. 44 33 76 33
  www.ackselhaus.de

i31 €€ [G1]
Gelungenes kleines Boutiquehotel mit ruhigen Innenhofzimmern und schönem Garten, da stört auch die Baustelle auf der Invalidenstraße nicht.
- Invalidenstr. 31 | 10115 | Mitte
  Tel. 338 40 00
  www.hotel-i31.de

In der West-City

InterContinental €€€ [E4]
Nach Verschönerungen wieder mit an der Spitze in Berlin, ebenso das Restaurant Hugos (mit herrlicher Aussicht).
- Budapester Str. 2 | 10787 | Tiergarten
  Tel. 26 02-0
  www.berlin.intercontinental.com

Unterkunft

Palace €€€ [E4]
Ausgezeichnetes 5-Sterne-Hotel mit eleganten, individuell gestalteten Zimmern. Im Haus das Sternerestaurant First Floor.
- Budapester Str. 45 | 10787 Charlottenburg | Tel. 250 20
  www.palace.de

H10 €€ [D4]
Komfort-Haus in bester Ku'Damm-Lage, das neben geschmackvoll-modernen Zimmern auch großzügig geschnittene Apartments anbietet.
- Joachimstaler Str. 31–32
  10719 | Charlottenburg
  Tel. 322 92 23 00
  www.hotelh10berlinkudamm.com

Pestana €€ [E4]
Neues 4-Sterne-Hotel einer portugiesischen Hotelkette in flottem Design und grüner Tiergarten-Lage.
- Stüerstr. 6 | 10787 | Tiergarten
  Tel. 311 75 90 00
  www.pestana.com

Motel One Berlin €–€€ [F2]
Moderne, ansprechend eingerichtete Zimmer gegenüber vom Hauptbahnhof. 7 weitere Standorte in der Stadt.
- Invalidenstr. 54 | 10557 | Tiergarten
  Tel. 36 41 00 50
  www.motel-one.com

Waldorf Astoria €€€ [D4]
Das Hotel will in puncto Luxus und Service neue Maßstäbe setzen. Ein Highlight ist das Restaurant Les Solistes, geführt von 3-Sterne-Koch Pierre Gagnaire.
- Hardenbergstr. 28 | 10623 Charlottenburg | Tel. 81 40 00-0
  www.waldorfastoriaberlin.com

Gepflegter Luxus im Waldorf Astoria

Besonders berlinerisch
Myers Hotel €€ [J1]
Schnuckelige, familiäre Herberge in altem sanierten Berliner Mietshaus.
- Metzer Str. 26 | 10405
  Prenzlauer Berg | Tel. 44 01 40
  www.myershotel.com

Im Grünen
Landhaus Alpinia €€
Persönlich geführtes Landhaushotel, Bar und Restaurant.
- Säntisstr. 32-34 | 12107 | Mariendorf
  Tel. 76 17 70
  www.alpinia-berlin.de

centrovital Hotel €€
Angenehmes, modernes 158-Zimmer-Hotel am Spandauer See mit Anschluss an großen Sportclub samt Spa.
- Neuendorfer Str. 25 | 13585 | Spandau
  Tel. 818 75-0
  www.centrovital-berlin.de

Preiswerte Unterkünfte
Hotel-Café Hüttenpalast €–€€ [K6]
Die wahrscheinlich originellsten Schlafstätten der Stadt: Sechs ausrangierte

Unterkunft

Wohnwagen und Hütten wurden von Künstlern individuell zu Retro-Schafstätten umgebaut.
- Hobrechtstr. 66 | 12047 | Neukölln
  Tel. 37 30 58 06
  www.huettenpalast.de

baxpax Mitte Hostel € [G1]
Billige Betten in Zimmern mit Themen, für Backpacker aus aller Welt, in zentraler Lage. Filiale in Kreuzberg, 10997, Skalitzer Str. 104 und in Mitte, 10117, Ziegelstr. 28, hinter dem Friedrichstadtpalast.
- Chausseestr. 102 | 10115 | Mitte
  Tel. 28 39 09 65 | baxpax.de

berlincity € [F6]
Sowohl im Design als auch in der Ausstattung schönes Jugendhotel mit 2- bis 6-Bettzimmern mit Bad und TV.
- Crellestraße 22 | 10827 | Schöneberg
  Tel. 78 70 21 30
  www.jugendhotel-berlin.de

SEITENBLICK

Mitwohnzentralen
Wer lieber privat wohnen möchte oder vorhat, länger zu bleiben, kann sich an folgende Agenturen wenden:
- **bed&breakfast Berlin**
  Kontakt: Markusstr. 9 | 20355 Hamburg | Tel. 0 40-491 56 66
  www.bed-and-breakfast.de
- **fine + mine** [K1]
  Prenzlauer Allee 52 | 10405
  Prenzlauer Berg | Tel. 235 51 20
  www.fineandmine.de
- **Zeitraum Wohnkonzept** [K1]
  Immanuelkirchstr. 8 | 10405
  Prenzlauer Berg | Tel. 441 66 22
  www.zeit-raum.de

Berliner Bed & Breakfast € [F5]
Kleine hübsche Pension mit sechs individuell eingerichteten Zimmern mit Waschbecken (Gemeinschaftsbad). Küche vorhanden.
- Langenscheidtstr. 5a | 10827
  Schöneberg | Tel. 24 37 39 62
  www.berliner-bed-and-breakfast.de

EastSeven € [J1]
Nettes 60-Betten-Hostel in einem sanierten Altbau mit Hinterhof-Garten und einer großen Selbstversorgerküche, entspannte Atmosphäre.
- Schwedter Str. 7 | 10119
  Prenzlauer Berg | Tel. 93 62 22 40
  www.eastseven.de

Die Fabrik € [L5]
Auswahl von netten Doppelzimmern bis zum Schlafsaal mit Etagenduschen und -WCs.
- Schlesische Str. 18 | 10997 | Kreuzberg
  Tel. 611 71 16
  www.diefabrik.com

Jugendherbergen
Es gibt mehrere Jugendherbergen und -gästehäuser in der City und im Grünen.

Deutsches Jugendherbergswerk Service-Center
- Tel. 264 95 20
  www.djh-berlin-brandenburg.de

Campingplätze
Deutscher Camping-Club e.V.
Gibt Informationen über weitere Campingplätze.
- Kladower Damm 207-213
  14089 | Gatow
  Tel. 218 60 71
  www.dccberlin.de

Essen & Trinken

Die Attraktivität Berlins liegt in dem schier unübersehbaren Angebot an Kneipen, Cafés und Restaurants der unterschiedlichsten Provenienzen.

Über 15 000 gastronomische Einrichtungen laden täglich zu einem Fest der Gaumenfreuden – damit liegt die Metropole bundesweit mit großem Vorsprung auf Platz eins. Die Fluktuation ist groß, es wird experimentiert, Lokale machen hier zu, eröffnen andernorts neu. Es ist schwer, den Überblick zu behalten. Das Zentrum der kulinarischen Erlebniswelt, was die Qualität der Küche und die Vielfalt an Restaurants angeht, hat sich teilweise nach Berlin-Mitte verlagert, schwappt aber auch wieder in den alten Westen. Auch alle anderen Innenstadtbezirke halten viele Überraschungen bereit.

Spitzengastronomie

Facil €€€ [G4]
Kreative 2-Sterne-Gourmetküche auf das Wesentliche reduziert.
• im Mandala Hotel
  Potsdamer Str. 3 | 10785 | Tiergarten
  Tel. 590 05 12 34
  Mo–Fr 12–15, 19–23 Uhr

First Floor €€€ [E4]
Französisch inspirierte, Stern gekrönte Spitzenküche.
• im Hotel Palace
  Budapester Str. 45 | 10787 | Tiergarten
  Tel. 25 02 10 20 | Di–Sa 18.30–23 Uhr

Hugos €€€ [E4]
Das Restaurant mit der schönsten Aussicht über Berlin serviert 1-Stern-Küche.
• im InterContinental
  Budapester Str. 2 | 10787 | Tiergarten
  Tel. 260 20 | Di–Sa 18.30–22.30 Uhr

Vau €€€ [H3]
Edle 1-Stern-Küche der feinsten Art.
• Jägerstr. 54–55 | 10117 | Mitte
  Tel. 202 97 30
  Mo–Sa 12–14.30, 19–22.30 Uhr

Frühsammers €€–€€€
Edle Küche im Tennisclub. Sonja Frühsammer ist die neue Aufsteigerin in der Berliner Kochszene.
• Flinsberger Platz 8 | 14193
  Grunewald | Tel. 89 73 86 28
  Di und Fr 12–14.30, Di–Sa ab 19 Uhr

Tradition und Nouvelle Cuisine

Fischers Fritz €€€ [H3]
Stefan Lohse wurde vom Michelin mit zwei Sternen bedacht.
• im Regent Hotel | Charlottenstr. 49
  10117 | Mitte Tel. 20 33 63 63
  tgl. 12–14, 18.30–22.30 Uhr

Grill Royal €€€ [H2]
Den Grill Rooms klassischer Grandhotels nachempfundenes Steakhouse mit Spitzenqualität und sehr hoher Promidichte.
• Friedrichstr. 105b | 10117 | Mitte
  Tel. 28 87 92 88 | tgl. ab 18 Uhr

The Grand €€€ [J2]
Szenige Location mit Restaurant, Bar und Club hinter restaurierten alten

Mauern. Bestes Fleisch vom 800 °C heißen South Bend-Grill.
- Hirtenstr. 4 | 10178 | Mitte
  Tel. 27 89 09 95 55
  www.the-grand-berlin.com
  Mo–Fr ab 12, Sa/So ab 18 Uhr

Reinstoff €€€ [H1]
Daniel Achilles ist der Shootingstar unter Berlins Köchen und hat bereits zwei Michelin-Sterne erkocht.
- Edison Höfe | Schlegelstr. 26c | 10115 Mitte | Tel. 30 88 12 14
  Di–Sa ab 19 Uhr

Tim Raue €€€ [H4]
Im eigenen Restaurant offeriert Sternekoch Tim Raue kreativ-geniale Kompositonen. **50 Dinge** (17) › S. 14.
- Rudi-Dutschke-Str. 26 | 10969 Kreuzberg | Tel. 259 3 79 30
  Di–Sa 12–15, 19–24 Uhr

Weinbar Rutz €€€ [H2]
Unten Weinbar, oben Restaurant, in dem Sternekoch Marco Müller seine Kreativküche serviert.
- Chausseestr. 8 | 10115 | Mitte
  Tel. 24 62 87 60
  Di–Sa Bar ab 16, Rest. ab 18.30 Uhr

Bieberbau €€–€€€ [D6]
Schmuckes Szenelokal, in dem eine hochgelobte kreative Küche serviert wird.
- Durlacher Str. 15 | 10715 Wilmersdorf | Tel. 853 23 90
  Di–Sa 18–24 Uhr

Markus Semmler – Das Restaurant
€€–€€€ [C5]
Handwerklich perfekt und kreativ, wenn auch (noch) ohne Stern, so gehört M. Semmler dennoch zu den Spitzenköchen der Stadt.
- Sächsische Sr. 7 | 10707 Wilmersdorf | Tel. 89 06 82 90
  Di–Sa ab 17 Uhr

Pauly Saal €€–€€€ [H2]
Top-Gastronomie in den stilvoll restaurierten Räumen der ehemaligen Jüdischen Mädchenschule.
Schön für mittags, ebenfalls im Haus: Mogg & Melzer Delicatessen.
- Auguststraße 11-13 | 10117 | Mitte
  Tel. 33 00 60 70 | paulysaal.com
  Mo–Sa 12–15 und 18–3 Uhr

Volt €€–€€€ [K5]
Zeitgemäße Küche, die viel Wert auf regionale Produkte legt im eindrucksvollen historischen Industrieambiente.
- Paul-Linke-Ufer 21 | 10999 Kreuzberg | Tel. 61 07 40 33
  Mo–Sa 18–24 Uhr

SEITENBLICK

Street Food Market [K4]
Wie andere historische Markthallen wurde auch die Markthalle Neun in Kreuzberg neu belebt, so mit einem Wochenmarkt (Fr, Sa 10–18 Uhr).

Das kulinarisch-urbane Highlight aber ist der »Street Food Thursday«: Donnerstags von 17–22 Uhr – je später, desto voller – kann man an verschiedenen Ständen kulinarische Köstlichkeiten aus aller Welt probieren, von peruanischem Ceviche über amerikanisches Barbecue bis zu regionalen, mit Wildschweinschinken belegten Broten (Eisenbahnstr. 42/43, 10997, Kreuzberg, www.markthalle neun.de).

Essen & Trinken

Neu unter Berlins Gourmet-Adressen: das Reinstoff

Brenner €€ [D5–E5]
In Anton Stefanovs gemütlicher Speisestube wird eine moderne, frische Küche mit Spitzenweinen kombiniert.
- Regensburger Str. 7 | 10777
  Schöneberg | Tel. 23 62 44 70
  Di–Sa ab 18 Uhr

Renger-Patzsch €€ [E6]
Im legendären ehemaligen »Storch« gibt es nach wie vor die besten Flammkuchen der Stadt, moderne elsässische Küche sowie ein angenehmes Gasthaus-Ambiente.
- Wartburgstr. 54 | 10823
  Schöneberg | Tel. 784 20 59
  tgl. ab 18 Uhr

Schneeweiß €€ [M4]
Feine, moderne Alpenküche in urbanem, fast schneeweißem Restaurant.
- Simplonstr. 16 | 10245
  Friedrichshain | Tel. 29 04 97 04
  Mo–Fr 18–1, Sa, So 10–1 Uhr

Soupe populaire €€ [K1]
In seinem Zweitrestaurant in einer ehemaligen Brauerei interpretiert Sternekoch Tim Raue deutsche Klassiker neu.
- Prenzlauer Allee 242 | 10405
  Prenzlauer Berg | Tel. 44 31 96 80
  Do–Sa 12–24 Uhr

Sauvage €€ [K5]
Nichts für Vegetarier. Die paleolithische Bio-Küche – Essen wie unsere Vorfahren – basiert vor allem auf Fleisch.
- Pflügerstr. 25 | 12047 | Neukölln
  Tel. 53 16 75 47 | Di–So 18–23 Uhr

Stadt Land Fluss €€
Städtische und ländliche Gerichte mit deutschen Produkten im schick szenigem Ambiente.
- Pappelallee 65 | 10437
  Prenzlauer Berg
  Mo–Sa ab 18 Uhr
  Tgl. ab 18, Sa/So ab 10 Uhr

! Erst-
! klassig

Typische Berliner Küche

- **Knese** €€ [D4]
  Berliner Speiselokal nur ein paar
  Schritte vom Kurfürstendamm.
  Deftige Berliner Küche im Alt-
  Berliner Flair. Knesebeckstr. 63
  10719 | Charlottenburg
  Tel. 884 13-448 | tgl. 11–1 Uhr
- **Altes Zollhaus** €€ [H5]
  Herbert Beltle hat Berliner Klassi-
  ker wiederentdeckt und interpre-
  tiert sie in seinem charmanten
  Gasthaus fein und modern.
  Carl-Herz-Ufer 30 | 10961
  Kreuzberg | Tel. 692 33 00
  Mo–Sa 17–1, So 17–23 Uhr
  50 Dinge ⑪ › S. 13.
- **Mutter Hoppe** €–€€ [J3]
  Berliner Küche mitten im Nikolai-
  viertel. Am Wochenende Live-
  Musik.
  Rathausstr. 21 | 10178 | Mitte
  Tel. 241 56 25 | tgl. ab 11.30 Uhr
- **Sophieneck** €–€€ [H2]
  Beliebte Schank- und Speisewirt-
  schaft, in der Gemütlichkeit und
  frische regionale Küche groß ge-
  schrieben werden.
  Große Hamburger Str. 37
  10115 | Mitte | Tel. 283 40 65
  tgl. ab 12 Uhr
- **Joseph-Roth-Diele** € [F4]
  Stullen, das Berliner Wort für
  belegte Brote, gibt es nirgends
  besser als in der beliebten
  Künstlerkneipe und Gaststube.
  Potsdamer Str. 75 | 10785
  Tiergarten | Tel. 26 36 98 84
  Mo–Fr 10–24 Uhr

Asiatisch

Dudu €€ [H2]
Vietnamesisches Restaurant, gekocht
wird mit frischen Bio-Produkten.
- Torstr. 134 | 10119 | Mitte
  Tel. 51 73 68 54
  Mo–Fr 12–24, Sa/So 14–24 Uhr

Kuchi €€ [H2]
Sushi und mehr in schönem,
kitschfreien Ambiente.
- Gipsstr. 3 | 10119 | Mitte
  Tel. 28 38 66 22
  Mo–Sa 12–24, So 18–24 Uhr

Long March Canteen € [K4]
Szenerestaurant, das die chinesische
Küche modern interpretiert.
50 Dinge ⑫ › S. 13.
- Wrangelstr. 20 | 10997 | Kreuzberg
  Tel. 01 78 884 95 99 | tgl. 18–24 Uhr

Pan Asia €€ [J2]
Gelungener asiatischer Garküchenmix,
serviert im Hinterhof-Ambiente.
- Rosenthaler Str. 38 | 10178 | Mitte
  Tel. 27 90 88 11
  So–Do 12–24, Fr, Sa 12–1 Uhr

Kochu Karu €–€€
Kleine, kitschfreie koreanische Speisestube mit Tapas-Einflüssen. Empfehlung!
- Eberswalder Str. 35 | 10437 | Mitte
  Tel. 80 93 81 91 | Di–Fr 12–16,
  18–22.30, Sa, So 14–22.30 Uhr

Côcô € [H2]
Hübsches Deli mit großartigen *bánh
mì* – vietnamesischen Baguettes.
- Rosenthaler Str. 2 | 10119 | Mitte
  Tel. 24 63 05 95
  Mo–Do 11–22, Fr/Sa 11–24,
  So 12–22 Uhr

Essen & Trinken

Französisch

Le Cochon Bourgeois €€ [J5–J6]
Zu Recht das meistgelobte französische Restaurant der Stadt. Sehr leckeres Essen, gute Weine, super Service.
- Fichtestr. 24 | 10967 | Kreuzberg
  Tel. 693 01 01 | Di–Sa ab 18 Uhr

Chez Maurice €–€€ [L1]
Bodenständiger, einfacher Franzose mit Gerichten ohne Schnickschnack; mit Weinhandlung und Feinkostladen.
- Bötzowstr. 39 | 10407
  Prenzlauer Berg | Tel. 425 05 06
  tgl. ab 18 Uhr, Mittagstisch:
  Di–Sa 12–15.30 Uhr

La Cocotte €–€€ [F6]
Wunderbarer Szene-Franzose, dessen Spezialität Gerichte in der Cocotte, zu deutsch Schmortopf, sind.
- Vorbergstr. 10 | 10823 | Schöneberg
  Tel. 78 95 76 58 | Mo–Sa 12–1,
  So 18–24 Uhr

Italienisch

Grünfisch €€–€€€ [J5]
Hier erlebt man eine erstklassige Begegnung der italienischen, sizilianischen und asiatischen Küche, dazu wunderbare Weine aus Sizilien.
- Graefestr. 26a | 10967 | Kreuzberg
  Tel. 61 62 12 52 | Mo–Sa 18–24 Uhr

Lavanderia Vecchia €€ [K6]
In einer ehemaligen Wäscherei sitzt man unter Wäscheleinen. In der offenen Küche wird ein wunderbares, mehrgängiges italienisches Menü gekocht.
- Flughafenstr. 46 | 12053 | Neukölln
  Tel. 62 72 21 52
  Di–Sa 19.30 Uhr, nur mit Reservierung, Mittagstisch Di–Fr 12–14.30 Uhr

Im Alten Zollhaus am Carl-Herz-Ufer

Österreichisch

Ottenthal €€ [D4]
Zu den über 200 österreichischen Weinen serviert man leckeres Schnitzel, Gulasch und andere Klassiker.
- Kantstr. 153 | 10623 | Charlottenburg
  Tel. 313 31 62 | tgl. 17–1 Uhr

Alpenstueck €€ [H1]
Köstliche alpenländische Küche in kitschfreiem Ambiente. Die dazugehörige Feinkost-Manufaktur liegt nebenan (Schröderstr. 15, Mo–Sa 11–19 Uhr).
- Gartenstr. 9 | 10115 | Mitte
  Tel. 21 75 16 46 | tgl. 18–1 Uhr

Türkisch

Hasir €€ [H2–J2]
Schönes Restaurant am Hackeschen Markt. Populär durch seine hervorragenden Vorspeisen und Grillgerichte.
- Oranienburger Str. 4 | 10117 | Mitte
  Tel. 28 04 16 16 | tgl. 12–1 Uhr

Honça € [D5]
Der Edel-Türke zeigt, dass anatolische Küche auch zeitgemäß sein kann.
- Ludwigkirchplatz 12 | 10719
  Wilmersdorf | Tel. 95 59 94 34
  Di–Fr 17–23, Sa/So 13–23 Uhr

Essen & Trinken

Gemütliche Rast im Pratergarten am Prenzlauer Berg

Cafés

Café im Literaturhaus €€ [D4]
Kaffee trinken im Garten der Gründerzeitvilla, einer Oase der Ruhe mitten im Zentrum. Buchhandlung angeschlossen.
• Fasanenstr. 23 | 10719 | Wilmersdorf
 Tel. 882 54 14 | tgl. 9–24 Uhr

Café Einstein €€ [F4]
Wiener-Kaffeehaus-Ambiente in einer alten Jugendstilvilla mit gepflegter österreichischer Küche und Sommergarten.
• Kurfürstenstr. 58 | 10785 | Tiergarten
 Tel. 26 39 19 18 | tgl. 8–1 Uhr

The Barn Coffeebar € [H2]
Beste Qualität, schonende Röstungen und ein Revival des handaufgebrühten Filterkaffees, für Kaffeefans ist der Coffeeshop ein Muss. Dependance an der Schönhauser Allee 8.
• Auguststr. 58 | 10119 | Mitte
 barn.bigcartel.com
 Mo–Do 8–17, Fr 8–18, Sa, So 10 bis 18 Uhr, im Sommer auch länger

Berliner Kaffeerösterei € [D4]
Kaffeerösterei und Café in einem. Rund 80 Kaffeesorten sind im Angebot.
• Uhlandstr. 173–174 | 10719 Wilmersdorf | Tel. 88 67 79 20
 Mo–Sa 9–20, So 10–19 Uhr

Ausflugslokale und Biergärten

Café am Neuen See € [E3]
Mitten im Stadtzentrum und mitten im Grünen kann man hier einfach mal die Stadt vergessen. Im Sommer tobt der Bär an den Biertischen. Biergarten-Atmosphäre. Imbiss und kleine Speisekarte. Bootsverleih nebenan, im Winter mit Eisstockbahn.
• Lichtensteinallee 2 | 10787 | Tiergarten
 Tel. 254 49 30 | tgl. ab 9 Uhr

Klipper €€
Auf dem tollen Klipper, der am Treptower Park seinen letzten Hafen gefunden hat, stimmt nicht nur die maritime Stimmung, sondern auch die frische Fischküche. Aber auch nur für ein kühles Getränk sitzt es sich gut an Deck oder auf der großen angebauten Holzterrasse, auch im Winter geöffnet.
• Segelschiff am Plänterwald
 Bulgarische Straße | 12435 | Treptow
 Tel. 53 21 64 90 | tgl. 10–1 Uhr

Prater € [J1]
Einer der schönen großen Biergärten der Stadt und ein traditionsreicher Veranstaltungsort. **50 Dinge** (15) › S. 13
• Kastanienallee 7–9 | 10435
 Prenzlauer Berg | Tel. 448 56 88
 Mo–Sa ab 18, So ab 12 Uhr,
 April–Sept. bei schönem Wetter
 tgl. 12–24 Uhr

Shopping

Berlin ist ein wahres Einkaufsparadies. Von luxuriösen Klamotten bis zu skurrilen Merkwürdigkeiten kann man alles nur Erdenkliche erstehen.

Bis 20 Uhr haben Kaufhäuser, Einkaufszentren, viele Supermärkte und Einzelhandelsgeschäfte geöffnet. Große Kaufhäuser haben an manchen Tagen auch bis 22 Uhr geöffnet. Einige Supermärkte schließen erst spätabends und einige wenige sind fast rund um die Uhr geöffnet. Während Bäckereien und Zeitungsläden bereits ab 6 Uhr ihre Dienste anbieten, öffnen die meisten anderen Geschäfte erst zwischen 9 und 10 Uhr, privat geführte Geschäfte oft erst um 11 oder 12 Uhr. In den ruhigeren Wohngegenden ist meist gegen 18 Uhr Feierabend. Samstags ist allgemein von 9 bis 16, teils bis 18 Uhr, oft auch bis 20 Uhr Einkaufszeit. Zu Terminen wie Messen, Volksfesten und Sportveranstaltungen sind viele Geschäfte auch sonntags geöffnet.

Neben den Einkaufsmeilen **Kurfürstendamm** und **Tauentzien** mit dem **Kaufhaus des Westens** (KaDeWe) › S. 46, 122 als Hauptattraktion, aber auch in den Nebenstraßen der Hauptverkehrsadern mit interessanten Geschäften, hat sich die **Friedrichstraße** mit exklusiven Passagen und Boutiquen › S. 77 zur Shoppingmeile entwickelt. Hier findet man die internationalen Designernamen genauso oft wie am oberen Ku'damm (beim Olivaer Platz).

Daneben sind in der Innenstadt und in vielen Randbezirken populäre Shoppingcenter entstanden wie die **Potsdamer Platz Arkaden** › S. 109 mit einer Vielzahl an Geschäften unter einem Dach, inklusive Cafés, Restaurants, Kinos etc. Am Alexanderplatz wurde mit **Alexa** › S. 90 eine weitere große Shoppingmall eröffnet; ihre 180 Geschäfte schließen erst um 21 Uhr.

Kleiner und schön zum Einkaufen und Bummeln sind die **Hackeschen Höfe** und Umgebung (Mitte › S. 99), die **Bergmannstraße** (Kreuzberg › S. 139), die **Goltzstraße** (Schöneberg) oder rund um die **Kastanienallee** (Prenzlauer Berg › S. 132). Jeder Bezirk hat zudem seine Einkaufsstraße.

Mode und Accessoires

The Corner Berlin [H3]
Kleines Edelkaufhaus mit angesagter exklusiver Mode, Möbeln und Kunst.
- Französische Str. 40 | 10117 | Mitte
  Tel. 20 67 09 40
  Mo–Fr 10.30–19.30, Sa 10–19 Uhr

F 95 [G4]
Großer Designerstore für Mode und Accessoires.
- Luckenwalder Str. 4-6 | 10963
  Kreuzberg | Tel. 42 08 33 58
  Mo–Fr 12–20, Sa 11–18 Uhr

Fiona Bennett [F4]
Sie ist die Königin der Kopfbedeckungen – ihre extravaganten Hüte sind Kunstwerke.
- Potsdamer Str. 81–83 | 10785
  Tiergarten | Tel. 28 09 63 30
  Mo–Sa 10–19 Uhr

Flagshipstore [J1]
Der junge Designerladen bietet hauseigene Labels und ca. 30 Kollektionen v. a. von Berliner Nachwuchstalenten an.
- Oderbergerstr. 53 | 10435
  Prenzlauer Berg | Tel. 43 73 53 27
  Mo–Fr 13–19, Sa 12–19 Uhr

Frau Tonis Parfum [H4]
In der schönen Parfümerie gibt es nicht nur schöne fertige Düfte, man kann sich auch sein individuelles Parfüm zusammenstellen; auch Schnupperkurse werden angeboten.
- Zimmerstr. 13 | 10969 | Kreuzberg
  Tel. 20 21 53 10 | So–Sa 10–18 Uhr

Garments [J2]
Edle Second-Hand-Boutique für Damen mit schönen Stücken – derzeit vieles aus den 1980er-Jahren. Die Filiale in der Stargarder Straße 12 A, 10437, Prenzlauer Berg, führt auch Mode für Männer.
- Linienstr. 204-205 | 10437 | Mitte
  Tel. 28 47 77 81 | Mo–Sa 12–19 Uhr

Lala Berlin [J2]
Leyla Piedayesh hat sich mit ihren edlen Strickkollektionen einen Namen gemacht.
- Mulackstr. 7 | 10119 | Mitte
  Tel. 25 76 29 24 | Mo–Sa 12–20 Uh

Nix [H2]
Die Designerin Barbara Gebhardt kreiert Schlichtes mit Raffinesse.
- Heckmann Höfe
  Oranienburger Str. 32 | 10117 | Mitte
  Tel. 281 80 44
  Mo–Sa 11–20 Uhr

Respectmen [J2]
Trendige Anzüge für Männer.

- Neue Schönhauser Str. 14 | 10178
  Mitte | Tel. 283 50 10
  Mo–Fr 12–20, Sa 12–19 Uhr

Shoepassion.com [H1]
Shoepassion bietet handgefertigte Lederschuhe für Männer in zeitlos-elegantem Design. Es gibt auch passende Gürtel, Schuhpflegezubehör sowie Schuhpflegeseminare.
- Ackerstr. 23 | 10115 | Mitte
  Tel. 60 98 37 00
  Mo–Fr 9–19, Sa 10–19 Uhr

Soeur [K1]
Der Second-Hand-Shop mutet mehr wie eine Boutique an. Hier findet sich Schönes, Junges und Hochwertiges.
- Marienburger Str. 24 | 10405
  Prenzlauer Berg | Tel. 32 89 15 20
  Mo–Sa 11–19 Uhr

Voo Store [K4]
Concept-Store mit Industriecharme für Fashionvictims.
- Oranienstr. 24 | 10999 | Kreuzberg
  Tel. 61 65 11 19
  Mo–Sa 11–20 Uhr

Schmuck

Chic Choc [D5]
Internationale Designer, eigene Kollektion.
- Holsteinische Str. 42 | 10717
  Wilmersdorf | Tel. 873 81 11
  Di–Fr 10–19, Sa 10–16 Uhr

Galerie Oona [H2]
Ausgefallener Schmuck diverser Designer.
- Auguststr. 26 | 10117 | Mitte
  Tel. 28 04 59 05
  Di–Fr 14–18, Sa 13–18 Uhr

Shopping

Michaela Binder [H2–J2]
Werkstattgalerie, faszinierende Kollektion aus Silber und farbigen Filzen.
- Gipsstr. 13 | 10119 | Mitte
  Tel. 28 38 48 69
  Di–Fr 12–19, Sa 12–16 Uhr

Geschenke und Mitbringsel

Ampelmann Shop [J2]
Die kultigen DDR-Ampelmännchen (**50 Dinge** ㉜ › S. 16) in allen Variationen; weitere Shops u. a. Gendarmenmarkt (Markgrafenstr. 37).
- Hackesche Höfe (Hof 5)
  Rosenthaler Str. 40-41 | 10178 | Mitte
  Tel. 44 72 64 38
  Mo–Sa 9.30–22, So 10–19 Uhr

Broken English [J5]
Vom Tee bis zum Porzellan: alles, was man fürs britische Wohlbefinden braucht (Filiale Leonhardstr. 23, 14057, Charlottenburg, Tel. 28 59 93 07).
- Körtestr. 10 | 10967 | Kreuzberg
  Tel. 691 12 27
  Mo–Fr 11–18.30, Sa 11–16 Uhr

Cakeville [K1]
Ob Zuckerstreu in allen Farben, hunderte Keksausstecher und Kuchenformen von Elvis über Barbie bis zum Mini-Schloss – alles, was zum Backen gehört.
- Worther Str. 23 | 10405
  Prenzlauer Berg | Tel. 54 59 35 99
  Mo 12–18, Di–Fr 11.30–19,
  Sa 11–15 Uhr

The Different Scent [H2]
Alles für den Körperkult: edle Düfte, Rasierseifen und Aftershaves etc.
- Krausnickstr. 12 | 10117 | Mitte
  Tel. 35 12 29 25
  Mo 12–19, Sa 12–18 Uhr

The English Scent [C4]
Der Shop offeriert Düfte und Pflegeprodukte in guter englischer Tradition.
- Goethestr. 15 | 10625 | Charlottenb.
  Tel. 324 46 55 | Mo, Di, Do, Fr 10–14, 15–18.30, Sa 10–15 Uhr

Feinspitz [H2]
Feines für Hund und Mensch und bloß kein Kitsch, das hat sich Anahita Nejad auf die Fahne geschrieben. Auch Nicht-Hundebesitzer haben hier Spaß.
- Sophienstr. 34 | 10178 | Mitte
  Tel. 27 58 13 73
  Mo–Fr 12–19, Sa 12–16 Uhr

HanfHaus Berlin [K4]
Ausschließlich Hanfprodukte – ob Rucksack, Hose, Shampoo oder Öl.
- Oranienstr. 192 | 10999 | Kreuzberg
  Tel. 614 81 02
  Mo–Fr 11–19, Sa 11–16 Uhr

Herrlich [H5]
Alles für Männer: Schönes und Nützliches vom Rasierer über Uhren bis zur Edel-Grillzange.

Erfüllt britische Gelüste: Broken English

- Bergmannstr. 2 | 10961 | Kreuzberg
  Tel. 784 53 95 | Mo–Sa 10–20 Uhr

Dr. Kochan Schnapskultur [K1]
Handwerklich hergestellte Brände und Liköre kleiner Destillerien, aus Familienbetrieben und Klöstern.
- Immanuelkirchstr. 4 | 10405
  Prenzlauer Berg | Tel. 34 62 40 76
  Mo–Fr 12–20, Sa 11–17 Uhr

mobilien [E5–F5]
Thermoskannen mit Blumenmuster, Scheren in Vogelform – Jürgen Quack bietet »Schönes mit Funktion«.
- Goltzstr. 13b | 10781 | Schöneberg
  Tel. 71 53 86 75
  Mo–Fr 11–19, Sa 11–18 Uhr

Bücher

Autorenbuchhandlung [D4]
Seit über 35 Jahren jetzt am neuen Standort mit Café (Nr. 601).
- Else-Ury-Bogen 599-600 | 10623
  Charlottenburg | Tel. 313 01 51
  Mo–Fr 10–20, Sa 10–19 Uhr

> **SEITENBLICK**
>
> ### Comicläden
>
> In Berlin gibt es eine lebendige Comicszene. Wen es interessiert, der schaut z. B. bei **Grober Unfug** vorbei (Zossener Str. 33, 10961, Kreuzberg, Tel. 69 40 14 90, Mo–Fr 11–19, Sa 11–18 Uhr und Torstr. 75, 10119, Mitte, Tel. 281 73 31, Mo–Fr 11–19, Sa 11–18 Uhr) oder in **Modern Graphics** (Oranienstr. 22, 10999, Kreuzberg, Tel. 615 88 10, und im Europa-Center, Tauentzienstr. 9–12, 10789, Charlottenb., Tel. 85 99 90 54, beide: Mo–Fr 11–20, Sa 10–20 Uhr).

Bibliotheca Culinaria [J1]
Das größte deutschsprachige Kochbuchantiquariat mit 20 000 Büchern.
- Zehdenicker Str. 16 | 10119 | Mitte
  Tel. 47 37 75 70
  Di–Fr 11–19, Sa 11–16 Uhr

Eckard Düwal [C4]
Antiquarisches bis unter die Decke speziell zu Kunst, Literatur und Philosophie sowie Erstausgaben.
- Schlüterstr. 17 | 10625
  Charlottenburg | Tel. 313 30 30
  Mo–Fr 15–18, Sa 11–14 Uhr

Hammett Krimibuchhandlung [H6]
Für Krimi- und Thrillerfreunde gibt es hier reichlich Mord und Totschlag!
- Friesenstr. 27 | 10965 | Kreuzberg
  Tel. 6 91 58 34
  Mo–Fr 10–20, Sa 9–18 Uhr

Nicolaische Buchhandlung
Traditionsreiches Haus mit Schwerpunkt Berlin-Literatur.
- Rheinstr. 65 | 12159 | Schöneberg
  Tel. 852 40 05
  Mo–Fr 9–18.30, Sa 10–14 Uhr

Musik

Kulturkaufhaus Dussmann [H3]
Medienzentrum auf über 7000 m²; CDs, DVDs, Software, Bücher etc.
- Friedrichstr. 90 | 10117 | Mitte
  Tel. 20 25 11 11
  Mo–Fr 9–24, Sa 9–23.30 Uhr

Gelbe Musik [D4–D5]
Mischung aus Galerie mit Ausstellungen und Tonträger-Laden, viel neue Musik.
- Schaperstr. 11 | 10719 | Wilmersdorf
  Tel. 211 39 62
  Di–Fr 13–18, Sa 11–14 Uhr

Shopping

ZeeDee
An- und Verkauf sowie Verleih von CDs und CD-Spielern.
- Brüsseler Str. 4 | 13353 | Wedding
  Tel. 45 49 13 63
  Mo–Do 12–20, Fr/Sa 12–16 Uhr

Antiquitäten
Antikmarkt Berlin [H2]
Viele Geschäfte zum Stöbern.
- Georgenstraße (in den S-Bahn-Bögen)
  10117 | Mitte | Tel. 208 26 55
  Mi–Mo 11–18 Uhr

Schöne Alte Gläser [B3–B4]
Wie der Name schon sagt: Hier gibt es altes dekoratives Glas, handgeschliffen und mundgeblasen.
- Suarezstr. 58 | 14057 | Charlottenburg
  Tel. 323 81 11
  Mo–Fr 11–18, Sa 11–15 Uhr

Accessoires aller Art
Manufactum [D3]
Auf zwei Etagen findet man nützliche und schöne Dinge, die sich seit langem bewährt haben. Nebenan Manufactum brot & butter mit Feinkost.
- Hardenbergstr. 4-5 | 10623
  Charlottenburg | Tel. 24 03 38 44
  Mo–Sa 10–20 Uhr

Villa Harteneck
In Sachen Möbel und Accessoires der Rolls Royce unter den Einrichtern.
- Douglasstr. 9 | 14193 | Grunewald
  Tel. 89 72 78 90
  Di–Fr 10–19, Sa 10–18 Uhr

Feinkost und Weine
Bonbonmacherei [H2]
Mit Schauküche – unwiderstehlich!
- Heckmann Höfe

Süße Verlockungen bei Cupcake

Oranienburger Str. 32 | 10117 | Mitte
Tel. 44 05 52 43 | Mi–Sa 12–20 Uhr,
Sommerpause Juli/Aug.

Cupcake Berlin [M3]
Kleine Kunstwerke zum Vernaschen.
- Krossener Str. 12 | 10245
  Friedrichshain | Tel. 25 76 86 87
  Mo, Di 13–19, Mi–So 12–19 Uhr

Docura
Süße Verführungen gibt es in den beiden Läden im Kolonialwarenladen-Stil.
- [H5] Zossener Str. 20 | 10961
  Kreuzberg | Tel. 81 79 73 99
  Mo–Fr 11–19, Sa 11–16 Uhr
- Mexikoplatz 1 | 14163 | Zehlendorf
  Tel. 81 46 13 33
  Mo–Fr 9.30–18, Sa 9–15 Uhr

Fassbender & Rausch [H3]
Direkt am Gendarmenmarkt. Riesenauswahl an Schokoladen und Pralinen.
- Charlottenstr. 60 | 10117 | Mitte
  Tel. 20 45 84 43
  Mo–Sa 10–20, So 11–20 Uhr

> **Erstklassig**

Floh- und Kunsthandwerksmärkte

- **Trödel- und Kunstmarkt** [D3]
  › S. 101 Bekanntester Flohmarkt, vom echten Trödel über Kunsthandwerk bis Touristennepp ist für jeden etwas dabei.
  Straße des 17. Juni | 10623 Tiergarten | Sa/So 10–17 Uhr
- **Flohmarkt am Mauerpark** [J1]
  Trödeln direkt neben dem Mauerpark am Prenzlauer Berg, im ehemaligen Güterbahnhof.
  Bernauer Str. 63-64 | 13355 Mitte | So 8–18 Uhr, im Winter bis Einbruch der Dunkelheit.
- **Trödelmarkt auf dem Boxhagener Platz** [M3] Junges Publikum, niedrige Preise.
  Boxhagener Platz | 10245 Friedrichshain | So 10–18 Uhr
- **Antik- und Buchmarkt am Bodemuseum** [H2] › S. 87
  Fundgrube für alle möglichen Altertümer, Bücher, Kunst und -handwerk neben dem DHM.
  Am Kupfergraben | 10117 Mitte | Sa/So 11–17 Uhr
- **Neuköllner Stoff** [K5] In erster Linie bekommt man hier alles rund ums Nähen, sowie Design, Kunst und Kunsthandwerk.
  Maybachufer | 12047 | Neukölln Sa 11–17 Uhr
- **Flohmarkt Arkonaplatz** [H1–J1]
  Auf dem überschaubaren Areal kann man noch richtig stöbern.
  Arkonaplatz | 10435 | Mitte
  So 10–16 Uhr

Galeries Lafayette [H3]
In der Feinkostabteilung kann man einkaufen und schlemmen wie Gott in Frankreich.
- Friedrichstr. 76-78 | 10117 | Mitte
  Tel. 20 94 80 | Mo–Sa 10–20 Uhr

KaDeWe [E4]
Austern schlürfen, Champagner trinken, exquisit einkaufen – die Lebensmittelabteilung genießt legendären Ruhm.
- Feinschmeckeretage (6. Stock)
  Tauentzienstr. 21 | 10789 | Wilmersdorf | Tel. 21 21-0 | Mo–Do 10–20, Fr 10–21, Sa 9.30–21 Uhr

Maison des Champagnes [E5]
Freunde des französischen Prickelwassers finden hier an die 100 Sorten.
- Motzstr. 17 | 10777 | Schöneberg
  Tel. 217 27 96
  Mo 11–19, Di–Fr 9–19, Sa 9–15 Uhr

Sugafari
Aus Mexiko, Australien oder Finnland – hier gibt es ungewöhnliche Süßigkeiten aus aller Welt.
- Kopenhagener Str. 69 | 10437
  Prenzlauer Berg | Tel. 95 60 97 13
  Di–Fr 15–19.30, Sa 11–16 Uhr

Süßkramdealer
In einer alten Zigarrenhandlung werden heute hochwertige Süßigkeiten verkauft; auch Kaffeehaus.
- Varziner Str. 4 | 12159 | Friedenau
  Tel. 85 07 77 97
  Mo–Fr 8–20, Sa, So 10–18 Uhr

Wald Königsberger Marzipan [B4]
Der kleine Laden bietet köstliches geflämmtes Marzipan aus eigener Herstellung.

Shopping

Trödel- und Kunstmarkt an der Straße des 17. Juni

- Pestalozzistr. 54a | 10777
  Charlottenburg | Tel. 323 82 54
  Mo–Fr 10–18.30, Sa 10–15.30 Uhr

Werkstatt der Süße [J1–K1]
Patissier Guido Fuhrmann macht aus Schokolade & Co. kleine Meisterwerke.
50 Dinge (19) › S. 14.
- Husemannstr. 25 | 10435 | Pr. Berg
  Tel. 32 59 01 57
  Di–So 10–18 Uhr

Wochenmärkte
Charlottenburg [C4]
Frisches Obst und Gemüse rund um die Trinitatiskirche.
- Karl-August-Platz | 10627
  Mi 8–13, Sa 8–14 Uhr

Neukölln [K5]
Der so genannte Türkenmarkt bietet ein wenig orientalisches Flair in Berlin. Obst und Gemüse, türkisches Brot etc.
- Maybachufer | 12047
  Di, Fr 11–18.30 Uhr

Prenzlauer Berg [J1–K1]
- Kollwitzplatz | 10435
  Do 12–18 Uhr: Ökomarkt, auf dem Bioprodukte angeboten werden.
  Sa 9–16 Uhr: Lebensmittel, Blumen und Hippes

Schöneberg [F5]
Berlin-Brandenburger Bauernmarkt. Blumen, Fisch, Wurstwaren, Obst und Gemüse – und samstags Szenetreff.
- Winterfeldtplatz | 10781
  Mi 8–14, Sa 8–16 Uhr

Markthallen
Marheineke-Markthalle [H5–H6]
Schönes Angebot an z.T. regionalen Lebensmitteln. Kaffeerösterei, Weine etc.
- Marheinekeplatz | 10961 | Kreuzberg
  Mo–Fr 8–20, Sa 8–18 Uhr

Arminiusmarkthalle [E2]
Zunft(halle) mit einem kleinen, aber schönen Angebot aus Lebensmitteln und Weinen. **50 Dinge** (30) › S. 15.
- Arminiusstr. 2-4 | 10551 | Moabit
  Mo–Do 7.30–18 Uhr, Sa bis 15 Uhr

Markthalle Neun [K4]
Street Food Thursday – donnerstags ein kulinarisches Paradies, S. 36, 146.
- Eisenbahnstr. 42 | 10999 | Kreuzberg
  Street Food Do 17–22 Uhr
  Wochenmarkt Fr/Sa 10–18 Uhr

Am Abend

Auch unter Hauptstadtbedingungen hat sich daran nichts geändert: »Berlin hat das ganze Jahr über durchgehend geöffnet«. Mitte, Prenzlauer Berg, Charlottenburg, Schöneberg, Kreuzberg, Friedrichshain, Wilmersdorf und Neukölln sind Zentren des hauptstädtischen Nachtlebens. Ein Hotspot ist rund um die Oranienburger Straße und die Hackeschen Höfe. Die meisten Kneipen in Prenzlauer Berg sind rund um den Kollwitz- und den Helmholtzplatz angesiedelt. Kreuzberg und Schöneberg haben ebenfalls eine enorme Kneipendichte, die durch Kleinkunstbühnen, Clubs und Bars noch erhöht wird. Die Bezirke Friedrichshain, Kreuzberg und Neukölln ziehen junge Nachtschwärmer an.

Die Club-Gemeinde hat sich ständig neue verlassene Hinterhöfe, Fabriketagen und Kellerräume für ihre Partys erschlossen; manche fielen dem Bauboom zum Opfer, andere wandelten zum etablierten Szenetreffpunkt. Die großen und kleinen Bühnen, von klassisch bis kabarettistisch, konzentrieren sich auf den Bezirk Mitte und Charlottenburg.

Oper

Staatsoper Unter den Linden [H3]
Während der Sanierung bis 2015 oder länger gastiert die Staatsoper im Schiller Theater (Bismarckstr. 110, 10625, Charlottenburg).
- Unter den Linden 7 | 10117 | Mitte
  Tel. 20 35 40
  www.staatsoper-berlin.de

Deutsche Oper Berlin [C3]
Größtes Opernhaus der Stadt, in dem auch das Staatsballett auftritt.
- Bismarckstr. 35 | 10627
  Charlottenburg | Tel. 34 38 43 43
  www.deutscheoperberlin.de

Komische Oper [G3]
Intendant Barrie Kosky begeistert das Berliner Publikum mit seinem Programm restlos.
- Behrenstr. 55–57 | 10117 | Mitte
  Tel. 47 99 74 00
  www.komische-oper-berlin.de

Neuköllner Oper
Originelle Eigenproduktionen, musikalische Raritäten, Uraufführungen.
- Karl-Marx-Str. 131–133 | 12043
  Neukölln | Tel. 68 89 07 77
  www.neukoellneroper.de

Schauspiel

Deutsches Theater Berlin und Kammerspiele [G2]
Bekannte Klassiker und Komödien, junges Theater in den Kammerspielen.
- Schumannstr. 13a | 10117 | Mitte
  Tel. 28 44 12 25
  www.deutschestheater.de

Berliner Ensemble [G2–H2]
Moderne Inszenierungen klassischer Autoren wie Shakespeare, Ibsen, Brecht, Tabori.
- Schiffbauerdamm/Bertolt-Brecht-
  Platz 1 | 10117 | Mitte
  Tel. 28 40 81 55
  www.berliner-ensemble.de

Am Abend

Maxim Gorki Theater [H3]
Zeitgenössisches Theater, Studiobühne für junge Autoren.
- Am Festungsgraben 2 | 10117 | Mitte Tel. 20 22 11 15 | www.gorki.de

Berliner Kriminal Theater [L3]
Krimi-Klassiker von Agatha Christie u.a.
- Palisadenstr. 48 | 10243 Friedrichshain | Tel. 47 99 74 88 www.kriminaltheater.de

Volksbühne [J2]
Engagiertes zeitgenössisches Theater; im Roten und Grünen Salon wird ein spannender Mix von Konzerten bis zu Tango- und Swingnächten geboten.
- Rosa-Luxemburg-Platz | 10178 | Mitte Tel. 24 06 57 77 www.volksbuehne-berlin.de

Admiralspalast [H2]
Beste Unterhaltung – von klassischem Theater und Musical über Lesungen bis Livemusik und Nightclub.
- Friedrichstr. 101 | 10117 | Mitte Tel. 47 99 74 99 www.admiralspalast.de

Theater und Komödie am Kurfürstendamm [D4]
Plüschiges Boulevardtheater; viel Fernseh-Prominenz im Ensemble.
- Kurfürstendamm 206/209 | 10719 Charlottenburg | Tel. 88 59 11 88 www.theater-am-kurfuerstendamm.de

Hebbel am Ufer (HAU) [H4–H5]
Vereinigung der Kreuzberger Bühnen für zeitgenössisches Theater und Tanz; neuer Szenetreff mit HAU 1 (Stresemannstr. 29), HAU 2 (Hallesches Ufer 32), und HAU 3 (Tempelhofer Ufer 10).

Tangonacht im Grünen Salon (Volksbühne)

- 10963 | Kreuzberg | Tel. 25 90 04 27 www.hebbel-am-ufer.de

Musical und Varieté

Stage Theater am Potsdamer Platz [G4]
Musicalbühne am Potsdamer Platz.
- Marlene-Dietrich-Platz 1 | 10785 Tiergarten | Tel. 0 18 05-44 44

Theater des Westens [D4]
Renommierte Musicalbühne in wunderschönem Theater (um 1900).
- Kantstr. 12 | 10623 | Charlottenburg Tel. 0 18 05-44 44

Friedrichstadtpalast [H2]
Berühmter Revuetempel mit Glitzer, Glamour und langen Beinen.
- Friedrichstr. 107 | 10117 | Mitte Tel. 23 26 23 26 www.show-palace.eu

Wintergarten Varieté [F4]
Shows mit Pantomime, Artisten und Zauberer aus aller Welt.
- Potsdamer Str. 96 | 10785 | Tiergarten Tel. 58 84 33 www.wintergarten-variete.de

Szene-Location Saphire Bar

Bar jeder Vernunft [D5]
Altes Jugendstilzelt mit viel Holz und Spiegeln und exzellentem Programm.
- Schaperstr. 24 | 10719 | Wilmersdorf
  Tel. 883 15 82
  www.bar-jeder-vernunft.de

Estrel Festival Center
Glitzer-Doppelgänger-Show »Stars in Concert« in Europas größtem Hotel.
- Sonnenallee 225/Ziegrastr. 21–29
  12057 | Neukölln | Tel. 68 31 68 31
  www.estrel.de

Comedy und Kabarett
Quatsch Comedy Club [H2]
In der ehemaligen Kleinen Revue im Souterrain des Friedrichstadtpalastes präsentiert Thomas Hermanns seine Show mit hochkarätigen Comedians, die auch bei Pro7 ausgestrahlt wird.
- Friedrichstr. 107 | 10117 | Mitte
  Tel. 018 06-999 000 969
  www.quatsch-comedy-club.de

Comedy Club Kookaburra [J1–J2]
Hier stehen allabendlich Comedy und Kabarett auf dem Programm. Wer sein komödiantisches Talent erproben will, betritt bei »Open Stage« sonntags die Bühne, auch englische Shows.
- Schönhauser Allee 184 | 10119
  Prenzlauer Berg | Tel. 48 62 31 86
  www.comedyclub.de
  Shows: Di–Sa 20.30, So 19 Uhr
  So »Open Stage« 5 €

Die Stachelschweine [D4–E4]
Etwas gesetzteres Programm.
- Europa-Center | 10789
  Charlottenburg | Tel. 261 47 95
  www.diestachelschweine.de

BKA [H5]
Scharfzüngige Kabarettanstalt und »Unerhörte Musik« für neue und zeitgenössische Klänge.
- Mehringdamm 34 | 10961 | Kreuzberg
  Tel. 202 20 07 | www.bka-theater.de

Die Wühlmäuse [A4]
Satirisch-lustiges Kabarett.
- Pommernallee 2–4 | 14052
  Charlottenburg | Tel. 30 67 30 11
  www.wuehlmaeuse.de

Distel [H2]
Einst Renommierkabarett des Ostens.
- Friedrichstr. 101 | 10117 | Mitte
  Tel. 204 47 04 | www.distel-berlin.de

Bars
Newton Bar [H3]
Klassisch-stilvolle Bar am Gendarmenmarkt, viel Schicki-Micki-Publikum.
- Charlottenstr. 57 | 10117 | Mitte
  Tel. 20 29 54 21
  Do–Sa 10–4, So–Mi 10–3 Uhr

Saphire Bar [K1–L1]
Schöne Szene-Bar mit gut gemachten Cocktails, mit Ableger Saphire Martini

Am Abend

Lounge (Sredzkistr. 62, 10405, Prenzlauer Berg).
- Bötzowstr. 31 | 10407
  Prenzlauer Berg | Tel. 25 56 21 58
  tgl. ab 20 Uhr

Victoria Bar [F4]
❗ Wirklich erstklassige Cocktails.
- Potsdamer Str. 102 | 10785
  Tiergarten | Tel. 25 75 99 77
  So–Do 18.30–3, Fr/Sa bis 4 Uhr

Windhorst [G3]
Kleine feine Bar von Günter Windhorst, der als einer der besten Barkeeper der Stadt gilt.
- Dorotheenstr. 65 | 10117 | Mitte
  Tel. 20 45 00 70
  Mo–Fr 18 Uhr–o.e., Sa 21 Uhr–o.e.

Clubs

Havanna [E6–F6]
Auf ❗ vier Dancefloors wird zu Latino- und Black Music getanzt, auch Kurse.
- Hauptstr. 30 | 10827 | Schöneberg
  Tel. 784 85 65
  Öffnungszeiten je nach Veranstaltung

SEITENBLICK
Eintrittskarten
Theater- und Konzertkarten sind bei fast allen Vorverkaufskassen abrufbar, z. B. bei der Theaterkasse im **KaDeWe** › S. 46, im **Bahnhof Friedrichstraße** (Ausgang Reichstagsufer) oder im Shopping-Center **Alexa** › S. 90 am Alexanderplatz. Viele Veranstaltungen kann man auch über die **Touristinformationen** › S. 174 buchen. Die meisten Veranstaltungsorte verkaufen ihre Karten auch über ihre Internetseiten.

Spindler & Klatt [L4]
Stylische Location mit ❗ Dinner-Clubs, Events, Bar und Lounge.
- Köpenicker Str. 16-17 | 10997
  Kreuzberg | Tel. 319 88 18 60
  www.spindlerklatt.de
  Do–Sa Dinner ab 20 Uhr, Club Fr+Sa ab 23 Uhr, im Sommer unterschiedlich

Weekend [J2]
Entspannt lässiger Club ❗ mit Aussicht im 12. und 15. Stock. Elektro-Musik.
- Alexanderplatz 5 | 10178 | Mitte
  Öffnungszeiten unterschiedlich

Livemusik und Jazzclubs

A-Trane [C4]
Baratmosphäre, dazu guter Vocal-, Latin-, New- und Groove-Jazz.
- Pestalozzistr. 105 | 10625
  Charlottenburg | Tel. 313 25 50
  www.a-trane.de | tgl. ab 21 Uhr

Kalkscheune [H2]
Ein Begriff in der Party-Szene, Jazz, Rock, Chanson etc.
- Johannisstr. 2 | 10117 | Mitte
  Tel. 59 00 43 40 | www.kalkscheune.de

Radialsystem V [K3]
Ein spannendes Kunstzentrum für Konzerte, Tanz, Performances und Partys.
- Holzmarktstr. 33 | 10243
  Friedrichshain | Tel. 288 78 85 88
  www.radialsystem.de

Waldbühne
Die 22 000 Menschen fassende Open-Air-Arena zählt zu den schönsten Konzertstätten Deutschlands.
- Am Glockenturm | 14053
  Charlottenburg | Tel. 74 73 75 00
  www.waldbuehne-berlin.de

Beliebter Treffpunkt: Alexanderplatz

LAND & LEUTE

Steckbrief

- **Geographische Lage:** Auf 52°31′ nördlicher Breite und 13°24′ östlicher Länge, 34–60 m ü. NN. Höchste Erhebung ist der Große Müggelberg im Köpenicker Forst mit 115 m ü. NN.
- **Fläche:** Stadtgebietsfläche knapp 892 km², davon entfallen 55 % auf den West- und 45 % auf den Ostteil der Stadt. Ost-West-Ausdehnung max. 45 km, Nord-Süd 38 km.
- **Wohnbevölkerung:** 3,517 Mio. Einwohner, davon 950 000 mit Migrationshintergrund und über 500 000 Ausländer aus 186 Staaten (2013).
- **Bevölkerungsdichte:** Der am dichtesten besiedelte Bezirk mit 12 400 Einwohnern pro km² ist Friedrichshain-Kreuzberg, am lockersten besiedelt ist Treptow-Köpenick mit 1400 Einwohnern pro km².
- **Arbeitslosigkeit:** 11,7 % der Erwerbsbevölkerung (2013).
- **Regierung:** Berlin ist ein Stadtstaat, für den seit dem 3. Oktober 1990 Bundesrecht gilt. Die Regierung ist der Senat mit Sitz im Roten Rathaus. Er besteht aus dem Regierenden Bürgermeister – seit 2001 Klaus Wowereit, SPD – und max. acht Senatoren.
- **Parlament:** Das Abgeordnetenhaus mit seinen mindestens 130 Mandatsträgern ist die direkte Volksvertretung der Berliner. Es tagt im ehemaligen Preußischen Landtag.
- **Verwaltung:** Berlin bestand bis 2000 aus 23 historisch gewachsenen Verwaltungsbezirken. Sie wurden im Zuge der Verwaltungsreform 2001 neu gegliedert und auf zwölf reduziert.
- **Partnerstädte:** u. a. Los Angeles, Moskau, Paris, Madrid, Brüssel, Istanbul, Budapest, Mexiko-Stadt.

Lage

Berlin ist nicht nur nach Fläche und Einwohnerzahl die größte Stadt in Deutschland, es hat auch die höchste Bevölkerungsdichte, und doch: von Steinwüste keine Spur. Die idyllische von Wasserläufen durchzogene Landschaft mit Wäldern und Parks bildete sich in den Eiszeiten des Pleistozän. Die Lage im Warschau-Berliner-Urstromtal zwischen Gletscherablagerungen und verbliebenem Schmelzwasser hat der Gegend das viele Nass beschert. Seit Jahrtausenden ist der Untergrund feucht und sandig.

An schönen Wochenenden sind die innerstädtischen grünen Oasen

Steckbrief

Wandmalerei an der East Side Gallery: ein Trabant, bis heute liebevoll Trabi genannt

wie der Tiergarten von Erholungsuchenden bevölkert. Wer bereit ist, wenige Kilometer vom Zentrum Richtung Norden bis Lübars zu fahren, erlebt schon Natur pur. Auch im Spandauer Forst oder in der Wuhlheide bei Köpenick ist es an Frühlingstagen fast menschenleer.

Wirtschaft

Konzerne wie Siemens, Borsig und Osram hatten früher in Berlin ihren Hauptsitz. Der Zweite Weltkrieg bedeutete einen massiven wirtschaftlichen Einbruch. Nach 1949 erschwerte die Isolation Westberlins eine erneute wirtschaftliche Blüte. Viele Betriebe zogen sich nach dem Bau der Mauer ganz zurück. Eine Ausnahme bildete Axel Springer, der sein neues Verlagshochhaus (1961-66) direkt an der Mauer in Kreuzberg errichten ließ. Daneben förderte die öffentliche Hand Investitionen der Industrie. Berlin (West) war bis zur Wende 1989 der größte Industriestandort der Bundesrepublik. In Ostberlin waren zahlreiche wichtige Industriebetriebe der DDR angesiedelt. In beiden Stadthälften waren überproportional viele Menchen im öffentlichen Dienst tätig.

Seit der Wiedervereinigung

Mit der Vereinigung der beiden deutschen Staaten haben sich die wirtschaftlichen Rahmenbedingungen für die Metropole entschieden verbessert. Ihre geographische Lage macht sie zur Drehscheibe zwischen Ost und West, besonders für den Handel. Der Umzug der Bundesregierung beschleunigte den Ausbau der Infrastruktur. Dennoch hat Berlin zusammen mit den neuen Bundesländern die höchste Arbeitslosenquote unter allen deutschen Großstädten. Als Industriestandort verliert die Hauptstadt weiter an Boden. Ein wichtiger Faktor sind dabei die hohen Gewerbeimmobilienpreise im Stadtgebiet. Der Dienstleistungsbereich verzeichnet wachsende Umsätze. Insbesondere der Hauptstadttourismus boomt: 2013 besuchten über 11,3 Mio. Gäste Berlin, was einem Zuwachs von etwa 9 % gegenüber dem Vorjahr entspricht.

Geschichte im Überblick

6./7. Jh. Im Spreegebiet entstehen zwei slawische Siedlungen.
Um 1160 Albrecht der Bär gründet eine askanische Burg in Spandau, die heutige Zitadelle.
1237 Die Kaufmannssiedlung Cölln auf einer Spreeinsel wird erstmals urkundlich erwähnt. Am Ostufer gegenüber entsteht die Siedlung Berlin.
1307 Zum Schutz gegen raublustige Landadlige bilden beide Städte einen gemeinsamen Rat.
1359 Die Doppelstadt Berlin-Cölln wird Mitglied der Hanse.
1415 König Sigismund macht Friedrich von Nürnberg aus dem Geschlecht der Hohenzollern zum Kurfürsten von Brandenburg.
1486 Berlin wird kurfürstliche Residenz.
1539 Kurfürst Joachim II. bekennt sich zur Lehre Luthers, Brandenburg wird protestantisch.
1618–1648 Die Schrecknisse des Dreißigjährigen Krieges erschüttern Berlin. Bei Kriegsende lebt nur noch die Hälfte der 12 000 Bewohner in der Stadt.
1642 Friedrich Wilhelm, der Große Kurfürst, beschließt den Ausbau zur Residenz.
1700 Gottfried Wilhelm Leibniz wird erster Präsident der Preußischen Akademie der Wissenschaften.
1701 Kurfürst Friedrich III. krönt sich in Königsberg zum König von Preußen, Berlin avanciert zur königlichen Residenzstadt.
1740–1786 Unter Friedrich II., dem Großen, erlangt die preußische Hauptstadt europäische Geltung. Nach seinen Vorstellungen konzipieren die Architekten Knobelsdorff und Gontard das Forum Fridericianum Unter den Linden.
1806 Napoleon zieht am 27. Oktober in Berlin ein und besetzt die Stadt mehr als zwei Jahre lang. Sieben wohlhabende Bürger verwalten die Stadt unter französischen Direktiven.
1807 Freiherr vom Stein leitet sein umfassendes Reformwerk zur Belebung des politischen und wirtschaftlichen Lebens in Preußen ein.
1810 Wilhelm von Humboldt gründet die später nach ihm benannte Berliner Universität.
1848 Berlin ist ein Brennpunkt der Märzrevolution. Arbeiter, Handwerker und Studenten fordern die lange versprochene Verfassungsreform und Pressefreiheit.
1918 Kaiser Wilhelm II. dankt am 9. November ab, Philipp Scheidemann ruft vom Reichstag die Republik und Karl Liebknecht vom Balkon des Berliner Stadtschlosses die Freie Sozialistische Republik aus.
1920 Die preußische Landesversammlung vereinigt kleinere Städte, Landgemeinden und Gutsbezirke zur neuen Stadtgemeinde Groß-Berlin mit 3,9 Mio. Einwohnern.
1926 Tausende von Besuchern strömen zur ersten »Internationalen Grünen Woche«.

Geschichte im Überblick

1933 Adolf Hitler wird Reichskanzler, die Nationalsozialisten veranstalten am 10. Mai auf dem Opernplatz die öffentliche Bücherverbrennung »Wider den undeutschen Geist«.
1936 Berlin ist Austragungsort der XI. Olympischen Sommerspiele.
8. Mai 1945 Die Oberbefehlshaber der Deutschen Wehrmacht unterzeichnen im sowjetischen Hauptquartier Karlshorst die Kapitulation. Von den 4,3 Mio. Einwohnern zu Beginn des Krieges leben noch 2,3 Mio.
24. Juni 1948 Die UdSSR startet die Blockade der Westsektoren. Die Alliierten versorgen Berlin elf Monate lang über die Luftbrücke.
7. Okt. 1949 Gründung der DDR. Hauptstadt der sozialistischen Republik wird der Ostteil Berlins.
13. Aug. 1961 Beginn des Mauerbaus.
23. Juni 1963 US-Präsident John F. Kennedy bekundet seine Solidarität vom Balkon des Schöneberger Rathauses mit den Worten: »Ich bin ein Berliner.«
9. Nov. 1989 Öffnung der Mauer.
3. Okt. 1990 Wiedervereinigung Deutschlands.
20. Juni 1991 Der Bundestag beschließt den Umzug nach Berlin.
1994 Verabschiedung der Alliierten Streitkräfte mit Volksfesten.
1999 Die Bundesregierung nimmt wie zahlreiche Bundesbehörden ihre Arbeit in der Hauptstadt auf. Die gläserne Kuppel des Reichstags wird zum Wahrzeichen und Besuchermagneten. Die Museumsinsel wird UNESCO-Weltkulturerbe.
2004 Das Berliner Olympiastadion wird nach vierjährigem Umbau feierlich wiedereröffnet.
2005 Das Holocaust-Mahnmal wird am 10. Mai mit einem Staatsakt eingeweiht.
2006 Eröffnung des neuen Hauptbahnhofs am 28. Mai.
2008 Einführung der Umweltzone (Plakettenpflicht für Pkw) innerhalb des S-Bahn-Rings.
2009 Der Abriss des Palastes der Republik wird vollendet.
2010 Im Mai wird das neue Dokumentationszentrum Topographie des Terrors eingeweiht.
2011 In der Wahl zum Abgeordnetenhaus behauptet sich die SPD und ihr Regierender Bürgermeister Klaus Wowereit trotz starker Verluste als stärkste Partei.
2012 Berlin feiert 775. Geburtstag.
2013 Im Juni legt Bundespräsident Joachim Gauck den Grundstein für den Wiederaufbau des Berliner Stadtschlosses.
2014 Im November 25-jähriges Jubiläum des Mauerfalls.

Das Holocaust-Mahnmal liegt wenige Gehminuten vom Brandenburger Tor entfernt

Natur & Umwelt

Das Territorium der Metropole besteht zu über 40 % aus Wäldern, Parks, Feldern oder Wasser.

Das bedeutet etwa 111 m² offene Freifläche pro Einwohner. Besonders die morastigen Niederungen wie der Tiergarten, der Plänterwald im Treptower Park, der Grunewald und der Charlottenburger Schlosspark blieben unbebaut und bilden die beliebten grünen Inseln der Stadt. In keiner Stadt Europas stehen so viele Grünflächen zur Verfügung und säumen so viele Bäume die Straßen wie in Berlin – rund 430 000. Überall sind die berühmten Linden zu sehen. Sie stellen mit einem Anteil von fast 40 % am Baumbestand die vorherrschende Gattung. Im Sommer sollte man wegen ihrer klebrigen Absonderungen nicht unter den Linden parken.

Wo Millionen von Menschen leben, bleiben Umweltbelastungen nicht aus. Zwar kann der häufig wehende Wind von Bergen ungehindert frischen märkischen Sauerstoff in die Stadt hineintragen – das traditionelle Lob für die »Berliner Luft« kennt man aus so manchem Schlagerlied. Trotzdem erreicht die Schadstoffbelastung mitunter hohe Werte: Im Sommer sind es vor allem die Autoabgase, im Winter wird die Luft zusätzlich »angeheizt« durch Kohleofenheizungen, die in manchen Altbauwohnungen noch immer ihren Dienst tun. Allerdings haben die vom Senat geförderte Umstellung auf moderne Erdgasanlagen und Fernwärme sowie die allgemein durchgesetzten Katalysatoren seit den 1990er-Jahren zu einem spürbaren Rückgang der

SEITENBLICK

Ein »Klein-Venedig«

Fast 1700 Brücken überspannen Berlins Wasserläufe, das sind mehr als in der Lagunenstadt Venedig, die im Wasser steht, und das will schon etwas heißen! Seit dem Ausbau der Wasserstraßen im 17. und 18. Jh. liegt die Stadt im Zentrum des mitteleuropäischen Fluss- und Kanalsystems. Dadurch ist sie mit Oder und Weichsel verbunden. Zu Wasser kann man bis zur Weser und zum Rhein und sogar in die Ostsee gelangen.

Ohne Spree und Havel ist Berlin undenkbar. Kurvenreich kommt die Spree aus der Lausitz daher und durchfließt in Köpenick den Müggelsee. Später umschlingt sie die Museumsinsel in der City und macht sich weiter auf nach Spandau, wo sie an der Zitadelle in die Havel mündet. Die Havel selbst ist ein mäandrierender Fluss, sich ständig verengend und wieder verbreiternd zum Wannsee, zum Tegeler See oder zum Stößensee. Berlin ist also eine richtige Wasserstadt. Wo gibt es denn heutzutage noch einen Sandstrand in einer Millionenstadt? Am Strandbad Wannsee, in Tegel und am Müggelsee zum Beispiel.

Schadstoffwerte geführt. Smogalarm musste schon seit Jahren nicht mehr ausgelöst werden. Seit Einführung der Umweltzone innerhalb des S-Bahn-Rings dürfen dort nur PKW mit einer gültigen grünen Umweltplakette fahren.

Infos über Umwelt und Verkehr: www.stadtentwicklung.berlin.de.
Infos zur Umweltzone/-plakette: www.berlin.de/umweltzone

Die Menschen

Die Zusammensetzung der Bevölkerung zeigt es: Berlin ist der reinste Schmelztiegel.

Den Grundstein für diese Entwicklung legte Anfang des 17. Jhs. Friedrich Wilhelm, der Große Kurfürst. Um seiner verwüsteten Mark Brandenburg nach dem Dreißigjährigen Krieg auf die Beine zu helfen, förderte er die Einwanderung von Händlern und Gewerbetreibenden. Als Erste kamen Friesen und Holländer, anschließend jüdische Familien aus Wien; in späteren Jahrhunderten glaubensflüchtige Hugenotten aus Frankreich, dazu verfolgte Pfälzer und Welschschweizer.

Als sich im 19. Jh. in Berlin viele große Industriebetriebe ansiedelten, zogen Tausende von Bewohnern aus ländlichen Gebieten jenseits der Elbe, vornehmlich aus Ostpreußen, Pommern und Schlesien, in die aufstrebende Millionenstadt. Auch heute hält der Zuzug an. Manchmal trifft man unter all den Neuberlinern aber noch einen waschechten Hauptstädter. Erkennungszeichen ist die berühmte »Berliner Schnauze«, ein Markenzeichen für Schlagfertigkeit, durchmischt mit Durchsetzungsvermögen und Gefühl. Seitdem die Mauer gefallen ist, hört man wieder mehr Dialekt. Das ist den Bewohnern der östlichen Bezirke zu verdanken, wo sich das angestammte Mundwerk anscheinend besser behaupten konnte. Im Westen hingegen wird geschwäbelt, genordelt, gehesselt, gerheinelt und – wenn auch seltener – bayerisch geredet.

Nationalitäten und Religionen

In den 60er-Jahren des 20. Jhs. wurden auch für Berlin Gastarbeiter in großer Zahl angeworben, unter ihnen zahlreiche Türken, Jugoslawen und Polen. Sie ließen sich hauptsächlich in den Bezirken Wedding, Neukölln und Kreuzberg nieder. Heute sind rund 14,5 % der Bewohner Berlins ausländischer Herkunft. Unter ihnen sind die Türken mit knapp 101 000 die größte Bevölkerungsgruppe, gefolgt von knapp 47 000 Polen. Insgesamt leben Menschen aus über 186 Nationen in Berlin. Das bunte Gemisch der Natio-

SPECIAL Jüdisches Leben in Berlin

SPECIAL

Jüdisches Leben in Berlin

Die Jüdische Gemeinde in Berlin hat über 10 000 Mitglieder (www.jg-berlin.org).

Schon einmal war Berlin die deutsche Metropole jüdischen Lebens. Seit dem Ausgang des 19. Jhs. siedelten sich zahlreiche vor den Pogromen in Osteuropa Flüchtende im Scheunenviertel, nordwestlich des Alexanderplatzes, an. Allmählich entstanden dort ein Zentrum ostjüdischen Glaubens und ein entsprechendes kulturelles Leben. Bis in die 30er-Jahre wurde das Geistesleben von jüdischen Persönlichkeiten wie Walther Rathenau, Albert Einstein, Franz Werfel u. a. getragen. Dem setzte die Verfolgung der Juden im Dritten Reich ein Ende.

Heute ist der Jüdische Kulturverein Einwanderern bei der Integration behilflich. Die Neuen müssen Sprache und Glaubensgrundsätze erlernen – ein langer Prozess.

Viele Stadtführungen folgen den »Spuren jüdischen Lebens«. Beliebt sind Restaurants wie das **Gabriel's** (Fasanenstr. 79/80, 10623, Charlottenburg, Tel. 882 61 38, Sa–Fr 11.30 bis 15.30, 18.30–23 Uhr), das **Beth-Café** (Tucholskystr. 40, 10117, Mitte, Tel. 281 31 35, So–Do 11–20, Fr 11–17 Uhr) oder das **Bleibergs** (Nürnberger Str. 45a, 10789, Wilmersdorf, Tel. 21 91 36 24, Mo–Do 10–20, Sommer: Fr 9–16, Winter: Fr 9–13 Uhr), wo es auch eine kleine Feinkost-Abteilung gibt. Koscher einkaufen kann man auch beim **Bäcker Kädtler** (Danziger Str. 135, 10407, Prenzl. Berg, Tel. 423 32 33, Mo–Fr 6–18.30, Sa 7–12 Uhr). Gute israelische Küche offeriert **Feinberg's** (Fuggerstr. 37, 10777, Schöneberg, Tel. 91 55 34 62, Di–So 12 bis 23 Uhr). Tradition haben das **Jüdische Filmfestival Berlin & Potsdam** und die **Jüdischen Kulturtage**. Das **Centrum Judaicum** u. a. in der Neuen Synagoge (Oranienburger Str. 28-30, 10117, Mitte) präsentiert eine Dauerausstellung zur Geschichte der Berliner Juden. Ende 1998 erhielt das **Jüdische Museum** einen Neubau in der Kreuzberger Lindenstraße 14 › S. 142.

nalitäten spiegelt sich auch in der Vielfalt der Religionen wider. In Berlin hat jede denkbare Gemeinschaft die Möglichkeit, ihren Glauben zu leben. In der Brienner Straße in Wilmersdorf steht sogar eine Moschee nach dem Vorbild des indischen Taj Mahal. Ansonsten dominiert die Evangelische Kirche mit ca. 660 000 Mitgliedern, die Katholiken leben mit 318 000 Gläubigen quasi in der Diaspora. Islamischen Religionsgemeinschaften gehören 249 000 Gläubige an. Zudem gibt es eine große Anzahl Konfessionsloser.

Kunst & Kultur

Mittelalter und Renaissance

Aus der Zeit des Mittelalters haben sich kaum Zeugnisse sakraler Kunst erhalten. Etliches fiel dem Bildersturm der Reformation zum Opfer. Anderes ging im Zweiten Weltkrieg verloren. Einige Kirchen und Ausstattungsstücke haben die Jahrhunderte überdauert, etwa das Fresko »Der Totentanz« in der Marienkirche oder spätgotische Tafelbilder in der Nikolaikirche. Viel verdankt die Berliner Kunst dem Haus Hohenzollern als 500-jährigem Mäzen. Kurfürst Joachim II. ließ das Stadtschloss im Stil der Renaissance ausbauen und beauftragte Lucas Cranach d. Ä. und d. J. mit Gemälden, die im Jagdschloss Grunewald zu sehen sind.

Barocke Blütezeit

Eine Blüte erlebte die Residenz im Barock, als der Große Kurfürst und sein Sohn Friedrich I. ihrem absolutistischen Machtanspruch in repräsentativen Bauwerken Ausdruck verliehen. Das Stadtschloss wurde erweitert, die Schlösser in Köpenick, Friedrichsfelde und Niederschönhausen neu gebaut. Als bedeutendster Künstler dieser Zeit wirkte der Bildhauer und Architekt Andreas Schlüter. Er schuf das Reiterstandbild des Großen Kurfürsten vor dem Charlottenburger Schloss sowie viele plastische Werke für das Zeughaus.

Friderizianisches Rokoko

Im 18. Jh. verstand es Friedrich der Große, das Vorbild des französischen Rokoko zur eigenen Kunstrichtung in Preußen auszuprägen. Die Ära bekam den Namen friderizianisches Rokoko. Nach seinen Vorgaben errichtete Georg W. von Knobelsdorff die Staatsoper Unter den Linden und den Ostflügel von Schloss Charlottenburg.

Klassizismus und 19. Jahrhundert

Reich vertreten in der Stadt sind Bau- und Kunstwerke aus der Zeit des Klassizismus. Hauptvertreter dieser Stilrichtung waren Carl Gotthard Langhans, der Erbauer des Brandenburger Tores, und Karl Friedrich Schinkel, dessen immenser Schöpferkraft Berlin klassische Gebäude wie die Neue Wache, das Schauspielhaus am Gendarmenmarkt und das Alte Museum verdankt.

Meisterleistungen im Bereich der klassizistischen Plastik gelangen den Bildhauern Johann Gottfried Schadow – durch die Skulptur der Quadriga für das Brandenburger Tor – sowie Christian Daniel Rauch: Dieser ging mit seinem Grabmal der Königin Luise (Mausoleum im Schlosspark Charlottenburg) als Begründer der Berliner Bildhauerschule in die Kunstgeschichte ein. Im Wilhelminischen Zeitalter, dem ausgehenden 19. Jh., entstanden in der neuen Hauptstadt des Deutschen Reiches zahlreiche Prachtbauten des Historismus wie der Dom und das Reichstagsgebäude.

20. Jahrhundert

Vor dem Ersten Weltkrieg kam es zu Aufsehen erregenden Neuerungen in der Malerei v. a. in Gestalt der expressionistischen Kunst, vertreten besonders durch Edvard Munch, und die junge Avantgarde der »Berliner Secession« um Max Liebermann und Walter Leistikow. Berühmtes Mitglied der Künstlergruppe war auch die Grafikerin und Bildhauerin Käthe Kollwitz. Die Stadt erblühte als Zentrum internationaler Gegenwartskunst, und das war vor allem das Verdienst der Galeristen Alfred Flechtheim, Paul Cassirer, Karl Nierendorf. In der **Galerie Nierendorf** haben die Expressionisten und andere Richtungen der Klassischen Moderne bis heute ein Domizil (Hardenbergstr. 19, 10623, Tel. 832 50 13, Di–Fr 11–18 Uhr).

Nach dem Zweiten Weltkrieg gingen West- und Ostberlin auch künstlerisch eigene Wege. Ausländer sorgten für frischen Wind in der Westberliner Szene, im Osten brachte die Kunsthochschule Weißensee außer den sowjetisch beeinflussten Dogmatikern auch eigenwillige Künstler wie die Plasti-

SEITENBLICK

Die UNESCO-Siedlungen

Im Juli 2008 hat die UNESCO sechs Berliner Wohnsiedlungen, die zwischen 1913 und 1931 entstanden sind, in die Welterbeliste aufgenommen: die **Gartenstadt Falkenberg** (Treptow), die **Siedlung Schillerpark** (Wedding), die **Großsiedlung Britz**, Hufeisensiedlung genannt (Neukölln), die **Wohnstadt Carl Legien** (Prenzlauer Berg), die **Weiße Stadt** (Reinickendorf) und die Großsiedlung **Siemensstadt** (Charlottenburg). Man bezeichnet die im gesamten Stadtgebiet verteilten Siedlungen auch als Wohnsiedlungen der Berliner Moderne. Allein vier wurden vom Architekten Bruno Taut erbaut. Sie waren beispielhaft für die damalige Zeit und zeichneten sich durch rationell geschnittene, helle, modern ausgestattete und bezahlbare Wohnungen aus. Alle hatten Küche, Bad und Balkon sowie viel Grün vor der Haustür. Eingang fanden auch Einflüsse der künstlerischen Avantgarde und linke Ideen der Gewerkschafts- und Genossenschaftsbewegung.

Kunst & Kultur

Der Hamburger Bahnhof, heute Museum für Kunst der Gegenwart

ker Waldemar Grzimek und Theo Balden hervor. Nach der Wiedervereinigung bietet Berlin über 170 Museen, Sammlungen und Archive.

Unter ihnen gehört das Landesmuseum für Moderne Kunst, Fotografie und Architektur – kurz: **Berlinische Galerie** – zu den innovativsten (Alte Jakobstr. 124, Kreuzberg, Tel. 789 02-600, Mi–Mo 10–18 Uhr); ebenso der **Hamburger Bahnhof – Museum für Gegenwart** (Invalidenstr. 50–51, Mitte, Tel. 266 42 42 42, Di, Mi, Fr 10–18, Do 10–20, Sa/So 11–18 Uhr). Das **Museum Berggruen** präsentiert gegenüber vom Schloss Charlottenburg mehr als 120 Werke u. a. von Picasso und 60 Werke von Paul Klee. 2013 wurde das Haus wiedereröffnet (derzeit wegen Bauarbeiten nur teilweise geöffnet).

Die aktuelle Kunstszene

Es gibt verschiedene Zentren, in denen sich die aktuelle Berliner Kunstszene angesiedelt hat. Die **Auguststraße** und ihre Umgebung in Mitte gelten inzwischen als alteingesessene Galeriemeile, hier präsentieren u. a. die Galerien **Eigen + Art** (Nr. 26, Tel. 280 66 05, Di–Sa 11–18 Uhr) und **Kunst-Werke Berlin** mit schönem Innenhof (Nr. 69, Tel. 243 45 90, Mi–Mo 12–19, Do 12 bis 20 Uhr) zeitgenössische Kunst. Andere, neue Kunstquartiere liegen in

Kreuzberg, rund um den Springer-Verlag an der ehemaligen Kochstraße, die inzwischen Rudi-Dutschke-Straße heißt. So die **Galerie Crone** (Nr. 26, Di–Sa 11–18 Uhr) oder ganz in der Nähe in der Lindenstraße z. B. die **Konrad Fischer Galerie** (Nr. 35, Di–Sa 11–18 Uhr).

In Tiergarten, unweit der Neuen Nationalgalerie, kann man ebenfalls einen Galeriebummel unternehmen, so zu Ausstellungsräumen am Schöneberger Ufer, etwa zur Galerie **Esther Schipper** (Nr. 65, Di–Sa 11–18 Uhr) oder an der Potsdamer Straße zur **Galerie Arndt** (Nr. 96, Di–Sa 11–18 Uhr) und zur Galerie **Jarmuschek + Partner** (Nr. 81b, Di–Sa 11–18 Uhr).

An der Heidestraße, auf dem »Niemandsland« mit seinen ehemaligen Lager- und Fabrikhallen hinter dem Hamburger Bahnhof, ist ein neues, wichtiges Kunstareal entstanden. Der **Hamburger Bahnhof** (der ehemalige Kopfbahnhof von 1847) beherbergt das Museum für Gegenwart sowie in den Rieckhallen, die Friedrich Christian Flick Collection. In der »Halle am Wasser«, einem ehemaligen, 2500 qm großen Speditionslager am Spandauer Schiffahrtskanal, wird zeitgenössische Kunst gezeigt. Dort findet man auch die Galerie **Christian Hosp** (Invalidenstr. 50–51, Di–Sa 11–18 Uhr).

Seit 2007 gibt es gegenüber der Museumsinsel das private **Galeriehaus am Kupfergraben** › **S. 87** (Am Kupfergraben 10, Tel. 288 78 70). Der britische Architekt David Chipperfield hat es für den Kunstsammler Heiner Bastian entworfen. Auf vier Stockwerken wird Kunst gezeigt, auf den unteren beiden Etagen ist die international für ihre Gegenwartskunst bekannte **Galerie Contemporary Fine Arts** (Am Kupfergraben 10, Mitte, 10117, Di–Sa 10 bis 18 Uhr) ansässig, darüber die Sammlung des Hausherren.

Einer der ungewöhnlichsten Kunstorte dürfte die im Mai 2008 eröffnete **Sammlung Boros** des Privatsammlers Christian Boros sein, er präsentiert sie in einem ehemaligen Luftschutz-Bunker in Berlin-Mitte (Reinhardtstr. 20, 10117, www.sammlung-boros.de, Besuch nur mit Anmeldung).

Kunst-Events

Die einst wichtigste Messe für zeitgenössische Kunst, das Art Forum Berlin, ist in einer anderen Kunstmesse, der **art berlin contemporary**, aufgegangen. Sie findet im September in der Station Berlin (www.artberlincontemporary.com), dem ehemaligen Postbahnhof am Gleisdreieck in Kreuzberg statt und gibt einen guten Überblick über die aktuellen Kunstentwicklungen.

An verschiedenen Orten – von Museen über Galerien bis zu Bunkern und Hochhäusern – zeigt die **Berlin Biennale** im Frühjahr/Sommer mehrere Wochen lang Gegenwartskunst. Mittlerweile etabliert hat sich das Ende April stattfindende **Gallery Weekend Berlin**. Rund 50 zeitgenössische Galerien öffnen dann für Kunstinteressierte ihre Türen.

Ein seit Jahren beliebtes Highlight ist zweimal jährlich (Jan./Feb. und August) die **Lange Nacht der Museen** – viele Kulturinstitutionen haben bis nach Mitternacht geöffnet.

Literatur

Zu allen Zeiten haben sich geistvolle und kritische Köpfe in der Hauptstadt ganz besonders wohl gefühlt. In der Goethezeit bildeten die Salons der selbstbewussten Frauen Rahel Varnhagen von Ense und Henriette Herz den belebenden Mittelpunkt des literarischen Berlins. Die Brüder Alexander und Wilhelm von Humboldt, der Philosoph Johann Gottlieb Fichte, der Theologe Friedrich Schleiermacher und Bettina von Arnim frönten hier ihrer weltoffenen Debattierlust.

Auch in den 1920er-Jahren gab es kaum einen bedeutenden Autor, der nicht wenigstens zeitweilig in Berlin gelebt hätte. Eine geradezu magnetische Anziehungskraft auf die junge Avantgarde der Moderne hatte das legendäre »Romanische Café« an der Kaiser-Wilhelm-Gedächtniskirche. Arnold Zweig und Kurt Tucholsky saßen hier stundenlang bei einer Tasse Kaffee. Der Puls der vitalen Metropole fand Eingang in das schriftstellerische Schaffen – besonders augenfällig in Alfred Döblins Roman »Berlin Alexanderplatz« oder Erich Kästners Lyrik. Ab Ende der 1950er-Jahre sorgten Günter Grass und Uwe Johnson für literarische Weltläufigkeit.

Radikal und experimentierfreudig brachen dann Thomas Hürlimann und Bodo Morshäuser von Kreuzberg aus verkrustete Strukturen auf.

Im Osten wurden die vielen subjektiv getönten Facetten der Literatur im Prenzlauer Berg in privaten Wohnungen gepflegt. Daran vermochte auch die Ausbürgerung Wolf Biermanns im Jahr 1976 nichts zu ändern.

Unter dem Namen Berliner Lesebühnen treten Berliner Szeneliteraten samstags um 20 Uhr in der Alten Kantine der KulturBrauerei auf (Knaackstr. 97, 10435, Prenzlauer Berg, Tel. 53 00 57 66, www.kantinenlesen.de).

SEITENBLICK

Lesungen

Lesungen finden im **Literaturhaus** (Fasanenstr. 23, 10719, Tel. 887 28 60, www.literaturhaus-berlin.de) und im **Buchhändlerkeller** (Carmerstr. 1, 10623, Tel. 791 88 97, www.buchhaendlerkeller-berlin.de) regelmäßig statt. Das **Literaturforum im Brecht-Haus** (Chausseestr. 125, 10115, Tel. 282 20 03, www.lfbrecht.de) hat sich vor allem der zeitgenössischen Literatur verschrieben, ebenso die **Literaturwerkstatt Berlin** (KulturBrauerei, Knaackstr. 97, 10435, Tel. 485 24 50, www.literaturwerkstatt.org). Eine Institution ist auch das **Literarische Colloquium** (Am Sandwerder 5, 14109, Tel. 816 99 60, www.lcb.de). Im **Kaffee Burger** (Torstr. 60, 10119, Tel. 28 04 64 95, www.kaffeeburger.de), gibt es unkonventionelle Lesungen und So um 20 Uhr die legendäre Truppe »Reformbühne Heim & Welt«. **Der Literarische Salon** von Britta Gansebohm (www.salonkultur.de) ist ein Forum für junge Autoren und Gegenwartsliteratur. In der **Z-Bar** finden generell spannende Lesungen und Kulturabende statt (Bergstr. 2, 10115, Tel. 28 38 91 21, www.z-bar.de).

Feste & Veranstaltungen

Detaillierte Veranstaltungsinfos für das ganze Jahr erhält man bei der Berlin Tourismus & Kongress GmbH, im Internet unter www.visitberlin.de. Viele Events wie die Filmfestspiele oder das Theaterfestival werden von den Berliner Festspielen organisiert: www.berlinerfestspiele.de

Von Ostern bis in den Frühherbst finden vielerorts die Berliner Bezirks- und Straßenfeste statt.

Festkalender

Januar: Internationale Grüne Woche: Kulinarische Genüsse aus aller Herren Länder. **Berliner Sechstagerennen** im Velodrom an der Landsberger Allee. **Berlin Fashion Week** im ehemaligen Flughafen Tempelhof (auch im Juli) u. a. mit **Mercedes-Benz Fashion Week**, der **Premium** sowie der Street- und Urban-Wear- Modemesse **Bread & Butter** in der Alten Münze in Mitte (ab Sommer 2014 auch als Publikumsmesse).

Ende Januar/Anfang Februar: Lange Nacht der Museen: Zahlreiche Museen und Institutionen sind bis nach Mitternacht geöffnet. **Transmediale**: Festival der digitalen Kultur.

Zwei Wochen im Februar: Internationale Filmfestspiele Berlin: Drittgrößtes Filmfestival der Welt. **März: MaerzMusik**: Festival für aktuelle Musik. **ITB**: Weltgrößte Tourismusmesse.

März/April: Berliner Frühlingsfest am Kurt-Schumacher-Damm, **achtung berlin – new berlin film award**, drittgrößtes Berliner Filmfestival zur kreativen Filmszene Berlin-Brandenburg.

Mai: Theatertreffen Berlin: Aufführung ausgewählter Inszenierungen deutschsprachiger Bühnen.

Ende Mai/Anfang Juni: Karneval der Kulturen: Viertägiges multikultu-

Beim Karneval der Kulturen

Feste & Veranstaltungen

Stimmungsvoller Weihnachtsmarkt am Gendarmenmarkt

relles Straßenfest mit schillerndem großem Umzug in Kreuzberg.
Juni: **DMY – Internationales Design Festival**: Renommierte und junge Designer präsentieren ihre neuesten Produkte und Konzepte. **Fête de la Musique**: Musikevents in der ganzen Stadt. **Christopher Street Day**: Schwulen- und Lesbenparade durch die Innenstadt.
Juli/August: **Classic Open Air**: Klassik-Konzertwoche am historischen Gendarmenmarkt.
Ende Juli/Anfang August: **Deutsches Traber-Derby**.
August: **Tanz im August**: Internationales Tanzfestival.
August/September: **Lange Nacht der Museen**: Viele Berliner Museen öffnen teils bis Mitternacht. **Internationale Funkausstellung**: Messe der Unterhaltungselektronik.

September: **Internationales Literaturfestival**: Bekannte und noch unbekannte Schriftsteller stellen ihre Werke vor.
Ende September: **Berlin-Marathon**: Über 40 000 Teilnehmer aus rund 120 Ländern sind jährlich am Start.
3. Oktober: **Tag der Deutschen Einheit**: Feiern zur Wiedervereinigung, u.a. am Brandenburger Tor.
Oktober: **Festival of lights**: Großes Lichtkunst- und Illuminationsfestival.
Ende Oktober–Anf. November: **JazzFest Berlin**: Seit fast 50 Jahren eine Institution.
Dezember: **Weihnachtsmärkte** u.a. auf dem Gendarmenmarkt, am Opernpalais, um die Gedächtniskirche, um das Spandauer Rathaus und in Rixdorf (Neukölln). **Silvesterparty** am Brandenburger Tor. Rund 1 Mio. Besucher jährlich.

Die Linie U1 auf ihrer Route über die Oberbaumbrücke Richtung Kreuzberg

TOP-TOUREN & SEHENS-WERTES

HISTORISCHES ZENTRUM

Kleine Inspiration

- **Auf dem Pariser Platz verweilen** und die Quadriga, das Viergespann, auf dem Brandenburger Tor fotografieren › S. 73
- **Von der Aussichtsplattform des Französischen Doms** auf den Gendarmenmarkt herabblicken › S. 78
- **Sich in der Alten Nationalgalerie** an Bildern von Caspar David Friedrich erfreuen › S. 84
- **In der gut beheizten Märchenhütte** bei einem Punsch ein von charmanten Schauspielern gespieltes, modern inszeniertes Märchen anschauen › S. 87

Tour 1 | 2 **Zentrum**

Hier trifft man mit Brandenburger Tor, Gendarmenmarkt und Museumsinsel auf Architekturdenkmäler von Weltruhm.

Die historische Mitte der Stadt wird geprägt von großartigen Bauwerken von Weltrang und gehört zu den Höhepunkten eines Berlinbesuchs. Einen Tag sollte man sich für das historische Zentrum, das wie eh und je pulsierende Herz der Stadt, vornehmen – wer Museen besuchen möchte, sollte mindestens einen weiteren Tag einplanen.

Eingangstor zur historischen Mitte ist eine der Hauptsehenswürdigkeiten Berlins, das **Brandenburger Tor** und der dahinter gelegene **Pariser Platz** mit dem Hotel Adlon, der Amerikanischen und Französischen Botschaft sowie der Akademie der Künste.

Vom Brandenburger Tor führt die berühmte Allee **Unter den Linden** in Richtung Schlossplatz.

Die **Friedrichstraße** knüpft inzwischen schon fast wieder an ihre große Zeit als Einkaufs- und Vergnügungsmeile an. Immer mehr hochwertige Geschäfte haben sich in den letzten Jahren hier niedergelassen, und auch der Genuss kommt nicht zu kurz. In der nördlichen Friedrichstraße liegen mit dem Friedrichstadtpalast und dem Admiralspalast zwei berühmte Vergnügungstempel. Gut essen kann man z. B. rund um den **Gendarmenmarkt** mit Französischem und Deutschem Dom, dem wohl schönsten Platz der Hauptstadt.

Museumsinsel – so wird der nördliche Teil der Berliner Spreeinsel, der halbe Kilometer zwischen Lustgarten und Monbijoupark, wegen seiner fünf weltberühmten Kunsttempel genannt. Die kleine Welt inmitten der Hektik des Großstadtverkehrs strahlt viel Ruhe und Würde aus. Ein großer Teil der Bauten ist eingerüstet, die Umbau- und Sanierungsarbeiten werden sich noch lange hinziehen. 1999 wurde die Museumsinsel gleichwohl von der UNESCO zum Weltkulturerbe erklärt. In der kleinen grünen Oase des **Monbijouparks** kann man sich im Sommer gut erholen.

Oben: Französischer Dom mit Schillerdenkmal
Links: Prozessionsstraße von Babylon mit dem Ischtar-Tor im Pergamon-Museum

Touren im historischen Zentrum

Vom Brandenburger Tor zum Schlossplatz

Verlauf: Brandenburger Tor › Holocaust-Mahnmal › Pariser Platz › Unter den Linden › Friedrichstraße › Gendarmenmarkt › Staatsoper › Schlossplatz

Karte: Seite 74
Dauer: 4 Stunden
Praktische Hinweise:
- Ausgangspunkt ist der Pariser Platz vor dem Brandenburger Tor, der bequem mit der Ⓢ 1 oder der Ⓢ 2, 25 (Station »Brandenburger Tor«) zu erreichen ist, alternativ auch mit den Sightseeing-Buslinien 100 und 200.
- Mit diesen beiden Buslinien (Richtung Zoologischer Garten) kommt man vom Schlossplatz auch schnell zurück zum Pariser Platz.

Tour-Start: Brandenburger Tor 1 ⭐ [G3]

Jahrzehntelang galt hier »Durchgang verboten« – die Mauer verlief in Sichtweite zum Brandenburger Tor. Als 1989 zwei Tage vor Weihnachten das erste Mauerstück am Tor fiel, wurde die Anlage zum Symbol und Wahrzeichen der wiedervereinigten Stadt. Bei der Einweihung 1791 erhielt der Bau den Namen »Friedenstor«: Johann Gottfried Schadows Siegesgöttin bringt mit ihrer Quadriga den Frieden in die Stadt. Ein Relief zeigt den Zeus-Sohn Herakles als mythischen Wohltäter der Menschheit. Politischer Hintergrund der Darstellung ist die Huldigung Friedrichs des Großen als siegreichen Feldherrn und Friedenskönig. Beim Entwurf des Sandsteintors hielt sich der Architekt Carl Gotthard Langhans an das Vorbild der Propyläen auf der Athener Akropolis. Damit leitete er die Zeit des Berliner Klassizismus ein, den Karl Friedrich Schinkel so glanzvoll zur Blüte bringen sollte.

Napoleon fand solchen Gefallen an dem Viergespann, dass er es nach dem Sieg über Preußen 1807 als Beutegut nach Paris bringen ließ. In den Befreiungskriegen kam es 1814 nach Berlin zurück. Friedrich Wilhelm III. gab den Auftrag, das Eiserne Kreuz und den Preußenadler hinzuzufügen.

Nach seiner Sanierung bleibt das Tor in beiden Richtungen für Fahrzeuge geschlossen, auch für Taxis und Busse in Ostrichtung. Freien Durchlass haben dagegen Fußgänger und Radler. **50 Dinge** ① › S. 12.

Wer dem Großstadttrubel entfliehen will, kann sich im Raum der Stille niederlassen (Brandenburger Tor, Nordflügel; Pariser Platz, 10117, Tel. 305 95 83, www.raum-der-stille-im-brandenburgertor.de, März–Okt. 11–18, Nov./Febr. 11 bis 17, Dez./Jan. 11–16 Uhr).

Karte S. 74 Tour 1: Vom Brandenburger Tor zum Schlossplatz **Zentrum**

Die DZ-Bank am Pariser Platz birgt eine begehbare Skulptur von Frank O. Gehry

Holocaust-Mahnmal 2 ⭐ [G3]

Südlich der Behrenstraße wurde im Jahr 2005 mit dem Denkmal für die ermordeten Juden Europas die zentrale Holocaust-Gedenkstätte Deutschlands eröffnet. Das von dem Amerikaner Peter Eisenman entworfene und mehrfach überarbeitete Mahnmal mit seinen rund 2700 Betonstelen auf 19 000 m² ist frei zugänglich. Der angeschlossene **Ort der Information** dokumentiert in unterirdischen Räumen die Stationen des Holocausts sowie Einzelschicksale (Ebert-/Ecke Wilhelmstraße, 10117, Tel. 28 04 59-61/60, April–Sept. Di–So 10–2, Okt.–März Di–So 10–19 Uhr, Eintritt frei; www.holocaust-denkmal-berlin.de).

Seit Mai 2008 erinnert im südlichen Tiergarten, direkt gegenüber dem Holocaust-Mahnmal, ein **Gedenkstein an die im Nationalsozialismus verfolgten Homosexuellen**. Entworfen wurde die Gedenkstele von dem in Berlin lebenden Künstlerduo Michael Elmgreen und Ingar Dragset. Im Inneren des Mahnmals läuft eine Filmprojektion mit einer scheinbar endlosen Kuss-Szene eines gleichgeschlechtlichen Paares; im Zwei-Jahres-Rhythmus wechseln sich Männer und Frauen ab (www.stiftung-denkmal.de).

Pariser Platz [G3]

Vor dem Brandenburger Tor erstreckt sich der Pariser Platz. Für die Randbebauung einigte man sich auf

Tour 1–4 Zentrum

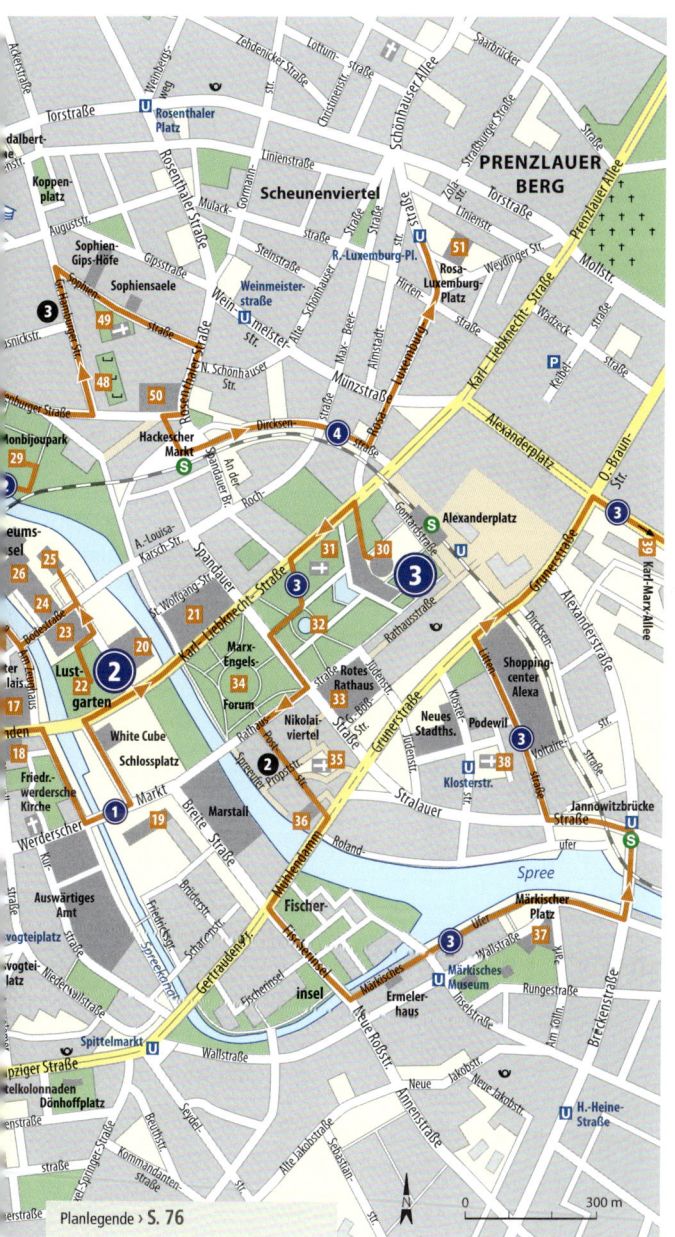

Planlegende › S. 76

einen historisierenden Baustil: nach außen traditionell, im Inneren architektonisch individuell – wie das **Haus Liebermann,** ehemals der Wohnsitz des Malers, heute Sitz der Stiftung Brandenburger Tor, und das **Haus Sommer,** heute Sitz einer Bank. Daneben finden sich die Neubauten der Französischen Botschaft und gegenüber die Akademie der Künste. Den Innenhof der **DZ-Bank** nimmt eine begehbare Skulptur des Architekten Frank O. Gehry ein (Pariser Platz 3, 10117, Tel. 20 24 10, www.dzbank.de).

Das berühmte Nobelhotel **Adlon** am Südwestende, am alten Ort erbaut, knüpft mit üppiger Eleganz und exklusivem Service an die eigene Legende der wilhelminischen Kaiserzeit an. Es lohnt sich, hier wenigstens auf einen Kaffee und Kuchen einzukehren (Unter den Linden 77, 10117, Tel. 226 10, www.kempinski.com). **50 Dinge** ①› S. 12.

Zwischenstopp: Restaurant

Im **Theodor Tucher** €€€ ❶ [G3] lässt es sich vor riesigen Bücherregalen angenehm speisen, z. B Eisbein, Kartoffelsuppe oder Flusskrebseintopf. Auf der Galerie und im Literatensalon finden häufig Lesungen statt; interessante Auswahl an Berlin-Literatur. Im Sommer kann man im Innenhof tafeln.
- Pariser Platz 6a | 10117
  Tel. 22 48 94 64 | tucher-am-tor.de
  tgl. 7–23 Uhr

Touren im Zentrum

Tour ❶
Vom Brandenburger Tor bis zum Schlossplatz

1. Brandenburger Tor
2. Holocaust-Mahnmal
3. Madame Tussauds
4. Russische Botschaft
5. Admiralspalast
6. The Westin Grand
7. Museum für Kommunikation
8. Friedrichstadt-Passagen
9. Gendarmenmarkt
10. St.-Hedwigs-Kathedrale
11. Reiterstandbild Friedrichs des Großen
12. Deutsche Bank KunstHalle
13. Staatsbibliothek
14. Humboldt-Universität
15. Staatsoper Unter den Linden
16. Neue Wache
17. Deutsches Historisches Museum
18. Prinzessinnen- und Kronprinzenpalais
19. DDR-Staatsratsgebäude
20. Berliner Dom
21. AquaDom & Sea Life

Tour ❷
Die Museumsinsel

22. Lustgarten
23. Altes Museum
24. Neues Museum
25. Alte Nationalgalerie
26. Pergamonmuseum
27. Bode-Museum
28. Galeriehaus am Kupfergraben
29. Monbijoupark

Touren in Mitte

Tour ❸
Rund um den Alexanderplatz

30. Fernsehturm
31. Marienkirche
32. Neptunbrunnen
33. Rotes Rathaus
34. Marx-Engels-Forum
35. Nikolaikirche
36. Ephraimpalais
37. Märkisches Museum
38. Parochialkirche
39. Karl-Marx-Allee

Tour ❹
Die nördliche Mitte

40. Museum für Naturkunde
41. Hamburger Bahnhof
42. Charité
43. Berliner Medizinhistorisches Museum
44. Deutsches Theater
45. Brecht-Weigel-Gedenkstätte
46. Kunsthaus Tacheles
47. Neue Synagoge
48. Alter Jüdischer Friedhof
49. Sophienkirche
50. Hackesche Höfe
51. Volksbühne

Unter den Linden [G3–H3]

1647 ließ der Große Kurfürst den Weg von seinem Schloss zum Jagdrevier im Tiergarten mit sechs Reihen von Linden und Nussbäumen bepflanzen und verlieh der Straße so ihren Namen. Schon zu Zeiten Friedrichs des Großen galt der Boulevard als Schaufenster von Berlin. Die Bäume wurden mehrfach gefällt – zuletzt 1936 für den U-Bahn-bau anlässlich der Olympischen Spiele – aber jedes Mal wurden neue gepflanzt. Heute bilden neue Bundestagsabgeordnetenbüros am Pariser Platz den Auftakt der Allee.

Im ersten deutschen **Madame Tussauds** 3 sind rund 75 Wachsfiguren zu sehen. Um die Abbilder von Kaiserin Sissi, Marlene Dietrich, Boris Becker, Romy Schneider oder Angela Merkel zu sehen, muss man tiefer in die Tasche greifen: Erwachsene 21 €, Kinder 16 € (Unter den Linden 74, 10117, Tel. 018 06-54 58 00, www.madametussauds.com, tgl. 10–19, im August bis 20, letzter Einlass 18/19 Uhr).

Die **Russische Botschaft** 4, ein Musterbau der Stalin-Ära, wurde 1950–53 von einem deutsch-russischen Architektenkollektiv errichtet. Vorher stand hier das Gebäude der Russischen Gesandtschaft, die 1878 in die Schlagzeilen geriet, als in unmittelbarer Nähe ein Attentäter auf Kaiser Wilhelm I. geschossen hatte (Unter den Linden 63–65, 10117, Tel. 229 11 10, www.russische-botschaft.de).

Um Berlin, Brandenburg, Preußen und die DDR geht es im Shop **Berlin Story**. Über 3000 Buchtitel sind auf zwei Etagen zu finden, dazu Berlinbücher in vielen anderen Sprachen (Unter den Linden 40, 10117, Tel. 20 45 38 42, www.berlinstory.de, Mo–Sa 10–19, So bis 18 Uhr). **50 Dinge** (33) › S. 16. Zudem kann man sich in der Ausstellung »Keine Atempause, Geschichte wird gemacht« über die Historie Berlins informieren (tgl. 10–19 Uhr, 5 €).

Friedrichstraße [H2–H3]

An der Ecke Unter den Linden/Friedrichstraße führt ein kleiner Abstecher nach Norden zum **Admiralspalast** 5 am Bahnhof Friedrichstraße (Friedrichstr. 101, 10117, Tel. 22 50 70 00, www.admiralspalast.de). Der Berliner Vergnügungstempel der vorletzten Jahrhundertwende wurde saniert und als Kulturadresse wiederbelebt.

Wer die Friedrichstraße Richtung Süden abbiegt, trifft auf die Nobelherberge **The Westin Grand** 6, 1987 als Grand Hotel Berlin und

Der Admiralspalast

Devisenbringer der DDR erbaut. Sein weniger anziehendes Äußeres steht im Kontrast zu seinem prächtigen Inneren; besonders beeindruckend ist das sechsstöckige Atrium mit Freitreppe (Friedrichstr. 158, 10117, Tel. 207 00, www.westingrandberlin.com).

Einen Umweg wert ist das **Museum für Kommunikation** 7, das sich der Geschichte der Nachrichtenübermittlung widmet und in dem u. a. die »Blaue Mauritius« zu sehen ist (Leipziger Str. 16, 10117, Tel. 20 29 40, www.mfk-berlin.de, Di 9 bis 20, Mi–Fr 9–17, Sa/So 10 bis 18 Uhr).

Die **Friedrichstadt-Passagen** 8 locken mit eleganten Geschäften. Magnetwirkung hat die Feinkostabteilung im Untergeschoss der Galeries Lafayette. Von dort führt ein Gang in das Quartier 206 mit seinen Luxusgeschäften (Friedrichstraße, 10117, Tel. 20 94 80, www.galerieslafayette.de; Tel. 20 94 73 21, www.quartier206.com; jeweils Mo bis Sa 10–20 Uhr).

Gendarmenmarkt 9 ⭐ [H3]

Hinter den Friedrichstadtpassagen liegt der Gendarmenmarkt, der mit seinem Flair als der schönste Platz Berlins gilt. Würdevoll ruht das alte Schauspielhaus in der Mitte, links und rechts gerahmt vom Deutschen und Französischen Dom. An warmen Sommerabenden sitzen die Besucher auf der großen Freitreppe vor dem Konzertgebäude und lassen sich von Straßenmusikanten auf den Abend einstimmen; ein musikalisches Muss ist das Classic Open Air › S. 67.

Seinen Namen verdankt der Gendarmenmarkt dem Umstand, dass hier Friedrich Wilhelm I. einst Wachgebäude und Stallungen für sein Kürassierregiment »Gens d'Armes« anlegen ließ. Die prächtige Gestalt erhielt er 1780 unter Friedrich (II.) dem Großen, der den bestehenden Kirchenbauten vom Anfang des 18. Jhs. die beiden Domtürme hinzufügen ließ.

Der **Französische Dom** wurde für die immigrierten Hugenotten errichtet, denen Ludwig XIV. Ende des 17. Jhs. in ihrer Heimat die freie Religionsausübung untersagt hatte (Gendarmenmarkt 5, 10117, Tel. 20 64 99 23, franzoesischer-dom.de). Über die Geschichte der »réfugiés« informiert das Hugenottenmuseum im Turmbau des Doms (Tel. 892 81 46, Di–So 12–17 Uhr, 2 €, erm. 1 €). In der Kuppel erklingt das 60-teilige Glockenspiel (tgl. 10–18 Uhr zur vollen Stunde). Einen schönen Ausblick bietet die Aussichtsplattform (März–Okt. 10 bis 19, Nov.–März 10–18 Uhr, letzter Aufgang 17/18 Uhr, 3 €, erm. 1 €). Im **Deutschen Dom,** dem architektonischen Pendant zum Französischen, dokumentiert die Ausstellung »Wege – Irrwege – Umwege, die Entwicklung der parlamentarischen Demokratie in Deutschland« (Gendarmenmarkt 1-2, 10117, Tel. 22 73 04 31, www.bundestag.de, Okt.–April Di–So 10–18, Mai–Sept. Di–So 10–19 Uhr).

Das ehemalige Schauspielhaus zwischen den Dombauten, heute

Tour 1: Vom Brandenburger Tor zum Schlossplatz **Zentrum**

seiner neuen Funktion wegen **Konzerthaus** genannt, ist ein Meisterwerk Karl Friedrich Schinkels. Einen künstlerischen Höhepunkt erlebte das Theater in den 30er-Jahren, als Gustaf Gründgens in Goethes »Faust« in seiner Rolle als Mephisto brillierte. Der Zweite Weltkrieg verwandelte das prächtige Gebäude in eine Ruine. Beim Wiederaufbau ab 1967 wurde nur das Äußere originalgetreu nachgebildet (Vorverkauf: Kasse Eingang Nordflügel, 10117, Tel. 203 09 21 01, www.konzerthaus.de, Mo–Sa 12 bis 19, So/Fei 12–16 Uhr).

Rund um den Gendarmenmarkt haben sich mehrere exklusive Restaurants angesiedelt, in denen man gut und teuer speist, unter anderem das **Aigner, Borchardt, Lutter & Wegner** sowie das **Fischers Fritz** und das **Vau** › S. 35.

Forum Fridericianum [H3]

Gleich nach seiner Thronbesteigung wollte Friedrich II. einen städtebaulichen Schwerpunkt schaffen. Mit seinem Jugendfreund Knobelsdorff konzipierte er das Forum Fridericianum, eine repräsentative Platzanlage. Zu ihm gehören das Opernhaus, die St.-Hedwigs-Kathedrale, die Alte (königliche) Bibliothek, heute die Jura-Bibliothek und gegenüber das Prinz-Heinrich-Palais, heute das Hauptgebäude der Humboldt-Universität. Nach starken Zerstörungen im Zweiten Weltkrieg wurde das Ensemble in den 1960er-Jahren originalgetreu rekonstruiert. Alle Gebäude liegen rund um den heutigen Bebelplatz.

Exklusives Shopping im eleganten Quartier 206 in der Friedrichstraße

Vom Gendarmenmarkt geht man zur sanierten **St.-Hedwigs-Kathedrale** 10, die durch das leuchtende Grün ihrer Kuppel auffällt (Hinter der Katholischen Kirche 3, 10117, Tel. 203 48 10, www.hedwigs-kathedrale.de). Sie gehört schon zur Gebäudegruppe des Forum Fridericianum und entstand 1747 nach Plänen Friedrichs des Großen und seines Hofarchitekten Georg Wenzeslaus von Knobelsdorff. Vorbild war das Pantheon in Rom, das als »Tempel aller Götter« für Friedrich ein Symbol der Toleranz gegenüber anderen Religionen war. Zum Gedenken an den großen Regenten errichtete man am Opernplatz 1851 das **Reiterstandbild Friedrichs des Großen** 11, das als bedeutendstes Berliner Denkmal des 19. Jhs. gilt (Unter den Linden/Universitätsstr., 10117). Das Fundament ist mit Bronzefiguren bestückt: Von Leopold Fürst von Anhalt-Dessau bis

79

hin zu Immanuel Kant und Gotthold Ephraim Lessing umgeben den Monarchen wichtige preußische Feldherren und Persönlichkeiten der Aufklärung.

Deutsche Bank KunstHalle 12 [H3]

Seit Frühjahr 2013 hat das Deutsche + Guggenheim am selben Ort einen Nachfolger, die Deutsche Bank KunstHalle. Gezeigt wird internationale Gegenwartskunst. Verschiedene Führungen werden kostenlos angeboten, so die »Daily Lectures«, tgl. 18 und die »Lunch Lectures«, Mi 13 Uhr. Mo 11 bis 20 Uhr kann man sich zudem den Kurzführungen »I like Monday Lectures« anschließen (Unter den Linden 13–15, 10117, Tel. 20 20 930, www.deutsche-bank-kunsthalle.de, tgl. 10 bis 20 Uhr, 4 €, erm. 3 €, Mo Eintritt frei).

Staatsbibliothek 13 [H3]

Die Staatsbibliothek links daneben, 1903-14 errichtet und im Zweiten Weltkrieg schwer beschädigt, wurde mit ihrer westlichen Schwestereinrichtung am Potsdamer Platz zusammengelegt. Sie führt u. a. den Altbestand, rund 6 Mio. Bücher, Noten, Karten und Handschriften, die vor 1945 erschienen sind, sowie laufende Zeitungen und Zeitschriften. Derzeit wird sie generalsaniert, ab 2015/16 soll sie sich als eine mit modernster Technik ausgestattete Bibliothek präsentieren. (Eingang Dorotheenstr. 27, Tel. 266 43 36 66, staatsbibliothek-berlin.de, Mo–Fr 9 bis 21, Sa 10–19 Uhr).

Humboldt-Universität 14 [H3]

Direkt gegenüber der Staatsoper hat die Humboldt-Universität ihren Sitz. Das Gebäude wurde 1748 bis 1766 für Prinz Heinrich, den jüngeren Bruder Friedrichs des Großen, errichtet. Nach Heinrichs Tod wurde 1809 der Bau der ersten Berliner Universität auf Betreiben ihres Gründers Wilhelm von Humboldt zugesprochen. Den Ruf der Anstalt begründeten Geistesgrößen wie Albert Einstein, Georg Wilhelm Friedrich Hegel und Max Planck (Unter den Linden 6, 10117, Tel. 209 30, www.hu-berlin.de).

Staatsoper Unter den Linden 15 [H3]

Das erste Gebäude, das Friedrich der Große in Auftrag gab, war die Staatsoper Unter den Linden (1741–43). Carl Gotthard Langhans baute es 1843 nach einem Brand wieder auf. Hier sang Enrico Caruso, und Richard Strauss stand am Dirigentenpult. Friedrich hatte eine Vorliebe für die italienische Oper und verachtete deutschsprachigen Gesang. »Ein deutscher Sänger! Da möchte ich lieber mein Pferd wiehern hören«, soll er gesagt haben.

Das Opernhaus wird bis 2015 saniert. Bis dahin gastiert es im Schiller Theater (Bismarckstr. 110, 10625, Charlottenburg, www.staatsoper-berlin.de, Tel. 20 35 40).

Neue Wache 16 [H3]

Friedrich Wilhelm III. gab 1816 Order, eine neue Wachstube zu bauen. Preußen war in Geldnot, Schinkel

Karte S. 74 Tour 1: Vom Brandenburger Tor zum Schlossplatz **Zentrum**

Das Deutsche Historische Museum mit der Glasspindel von I. M. Pei

musste Seiten- und Rückwände in unverkleidetem Backsteinmauerwerk belassen. Geschickt verbarg er den Mangel in einem Kastanienwäldchen. Der klassizistische Tempel fungiert heute als Zentrale Gedenkstätte für die Opfer von Krieg und Gewaltherrschaft. Im Innern ist die nachgebildete Pietà »Mutter und Sohn« von Käthe Kollwitz »Allen Opfern von Krieg und Gewalt« gewidmet (Unter den Linden 4, 10117, tgl. 10–18 Uhr). Das **Palais am Festungsgraben** hinter dem Wäldchen beherbergt das Theater im Palais (Am Festungsgraben 1, 10117, Tel. 201 06 93, www.theater-im-palais.de).

Deutsches Historisches Museum 17 ⭐ [H3]

Das einstige Zeughaus, der bedeutendste Barockbau Berlins direkt neben der Neuen Wache, ist Sitz des Deutschen Historischen Museums. Der Komplex diente ursprünglich als Waffenarsenal. Davon zeugen im Innenhof die 22 Maskenköpfe sterbender Krieger, wichtige Werke europäischer Barockplastik des Architekten und Bildhauers Andreas Schlüter. Unter den 8000 Original-Exponaten der Dauerausstellung zu 2000 Jahren deutscher Geschichte befindet sich u. a. ein Hut von Napoleon und Hitlers Schreibtisch. In dem modernen gläsernen Erweiterungsbau von I. M. Pei werden Wechselausstellungen gezeigt (Unter den Linden 2, Tel. 20 30 40, www.dhm.de, tgl. 10–18 Uhr).

Prinzessinnen- und Kronprinzenpalais 18 [H3]

Fast zierlich wirkt das Prinzessinnenpalais mit einer Bar, einem Café und Restaurants (Unter den Linden 5–7, 10117). Wegen der Nachbar-

Blick in das Innere des Berliner Doms, in dem die Hohenzollerngruft zu sehen ist

schaft zum Musentempel wird es auch »Opernpalais« genannt. Über einen Brückenbogen sind die Gemächer der Töchter Friedrich Wilhelms III. mit dem **Kronprinzenpalais** verbunden. Friedrich Wilhelm I. ließ 1732 das Privatgebäude als Wohnsitz für Kronprinz Friedrich herrichten. Die Palais wurden 1969 rekonstruiert, auf der Rückseite zur Oberwallstraße fügte man die Kopie eines Portals der zerstörten Schinkelschen Bauakademie ein.

Die **Friedrichswerdersche Kirche** dahinter enthält eine Abteilung der Nationalgalerie mit klassizistischen Marmorskulpturen der Berliner Bildhauerschule (Am Werderschen Markt 1, Tel. 266 42 42 42, derzeit geschl.).

Schlossplatz [H3]

Von Schinkel stammen die Marmorstatuen auf der Schlossbrücke, die auf die Spreeinsel zum Schlossplatz führt. Hier veranlasste Walter Ulbricht 1950 die Sprengung des Hohenzollernschlosses, an Stelle des Ostflügels entstand der **Palast der Republik**, Tagungsort der DDR-Volkskammer, in dem das erste frei gewählte Parlament der DDR 1990 den Beitritt zur BRD besiegelte. 2006 begann der Abriss des »Volkspalasts«. Der Wiederaufbau des **Stadtschlosses** ist beschlossen. Die Bauarbeiten haben 2013 begonnen. In dem Schloss-Ensemble nach Plänen von Franco Stella ist ein Kommunikations- und Kulturzentrum geplant, das sogenannte **Humboldt-Forum** (Unter den Linden 3, Tel. 31 80 57 20, sbs-humboldtforum.de). Darüber informiert bereits jetzt die **Humboldt-Box** am Schlossplatz (Schlossplatz 5, Tel. 018 05-03 07 07, www.humboldt-box.com, tgl. 10 bis 20, im Winter 10–18 Uhr).

Karte S. 74

Tour 2: Museumsinsel **Zentrum**

Am Südende des Platzes erstreckt sich das ehemalige **DDR-Staatsratsgebäude** [19]. Zierde der nüchternen Fassade ist das eingebaute Portal IV des gesprengten Stadtschlosses. Von dessen Balkon soll Karl Liebknecht 1918 die Freie Sozialistische Republik ausgerufen haben.

Berliner Dom [20] [H3]

1894 beauftragte Kaiser Wilhelm II. Julius Raschdorff mit der Errichtung des gewaltigen Kuppelbaus des Berliner Doms. Zu besichtigen sind die Tauf- und Traukirche des Prachtbaus der Hohenzollern, das kaiserliche Treppenhaus, die Sarkophage des Großen Kurfürsten samt Gemahlin Dorothea, die Hohenzollerngruft und der Kuppelumgang (kein Fahrstuhl!), von dem aus man einen schönen Blick auf die historische Mitte Berlins hat (Am Lustgarten, Tel. 20 26 91 36, www.berlinerdom.de, Mo–Sa 9–20, So/Fei 12–20, Winter bis 19 Uhr).

AquaDom & Sea Life und DDR-Museum [21] [J2]

Maritimes Leben birgt im Hotel Dom Aquarée das **AquaDom & Sea Life**, ein Riesenaquarium, durch das ein Panoramaaufzug fährt (Spandauer Str. 3, 10178, Tel. 0 18 06-66 69 01 01, www.visitsealife.com, Online Frühbucherpreis 11,50 €, erm. 8,40 €, tgl. 10–19 Uhr).

In der Nachbarschaft lässt das **DDR-Museum** 40 Jahre Sozialismus Revue passieren (Karl-Liebknecht-Str. 1, 10178, Tel. 847 12 37 31, www.ddr-museum.de, tgl. 10–20, Sa bis 22 Uhr, 6 €, erm. 4 €).

Museumsinsel ★

Verlauf: Lustgarten › Altes Museum › Neues Museum › Alte Nationalgalerie › Pergamonmuseum › Bode-Museum › Galeriehaus am Kupfergraben › Monbijoupark

Karte: Seite 74
Dauer: 2 Std., mit Museumsbesuchen bis 2 Tage
Praktische Hinweise:

- Verkehrsanbindung besteht durch S-Bahn (Station Hackescher Markt), U-Bahn (Station Weinmeisterstraße), verschiedene Straßenbahnlinien sowie die Buslinien 100 und 200.
- Öffnungszeiten: Museen Am Lustgarten, 10178, Bodestr. 1–3, 10178; Bodemuseum, Am Kupfergraben, 10117: Di–So 10–18 Uhr, Do bis 20 Uhr; Neues Museum und Pergamonmuseum zusätzlich Mo 10–18 Uhr.
- In den Museen und den Touristeninformationen › S. 174 ist der **Berliner Museumspass** erhältlich, eine Drei-Tage-Karte für über 50 Museen für 24 €, erm. 12 €.
- Am besten Tickets mit genauem Termin vorab online kaufen: www.smb.museum/ (keine Wartezeiten).
- Infos und Anmeldung zu den **Führungen** für alle Häuser auf der Museumsinsel: Tel. 266 42 42 42 (Mo–Fr 9–16 Uhr), service@smb.museum.de oder per Post an Besucher-Dienste, Genthiner Str. 38, 10785 Berlin.

Zentrum Tour 2: Museumsinsel   Karte S. 74

Tour-Start:
Lustgarten 22 [H3]

Das Entree zur Museumsinsel ist der Lustgarten mit der großen runden Granitschale, die Schinkel 1830 aus einem Findling hatte schleifen lassen. Ursprünglich war das Terrain eine zum ehemaligen Stadtschloss gehörende Grünanlage mit einem Gewürzgarten. Schon der Große Kurfürst ließ hier seine Kräuter züchten. Doch Friedrich Wilhelm I., genannt der Soldatenkönig, machte einen Paradeplatz daraus.

Drei Königsgenerationen später gestaltete der große preußische Gartenarchitekt Peter Joseph Lenné hier einen wunderschönen Park, der zum Treffpunkt der Berliner Bevölkerung wurde. 1934 hatten die Nationalsozialisten nichts Eiligeres zu tun, als den Platz mit großen Natursteinplatten zu pflastern und ihn für Kundgebungen und Aufmärsche zu nutzen; dasselbe tat der Ostberliner Magistrat.

Inzwischen veränderte der Lustgarten wieder sein Gesicht und sieht so aus, wie ihn einst Karl Friedrich geplant hatte: Die weiten Rasenflächen sind von Hecken gesäumt.

Altes Museum 23 [H2–H3]

Das Museum wurde ab 1825 unter Leitung von Karl Friedrich Schinkel erbaut. Mit seinen 18 ionischen Säulen und der Freitreppe an der Vorderseite gehört es zu den bedeutendsten klassizistischen Bauwerken. Dass es im Zweiten Weltkrieg niederbrannte und 1966 neu aufgebaut wurde, sieht man ihm heute nicht an. Das Alte Museum beherbergt die Antikensammlung mit Kunst der Griechen und Römer (Mo geschl.).

Neues Museum 24 [H2]

Nach Schinkels Plan verband ein Bogengang ursprünglich Altes und Neues Museum. Das einst strahlend schöne Gebäude wurde durch den Zweiten Weltkrieg zur Ruine und von der DDR nur behelfsmäßig gesichert.

Der Italiener Georgio Grassi hatte den ersten Wettbewerb zum Wiederaufbau gewonnen. Nach heftigen Kontroversen und diversen Überarbeitungen leitet jetzt David Chipperfield die Neugestaltung auf der Museumsinsel. Ein Ergänzungsbau soll alle Service-Einrichtungen aufnehmen und zum zentralen Eingang werden. Eine »archäologische Promenade« soll die einzelnen Museumsbauten unterirdisch verbinden. Das Neue Museum wurde aufwendig restauriert und ist jetzt Heimat des Ägyptischen Museums und der Papyrussammlung sowie des Museums für Vor- und Frühgeschichte inklusive Objekten der Antikensammlung. **50 Dinge** 24 › S. 15.

Alte Nationalgalerie 25 [H2]

Die Alte Nationalgalerie, früher einfach Nationalgalerie genannt, musste sich nach 1990 den Zusatz gefallen lassen, damit sie nicht mit der Neuen Nationalgalerie des Kulturforums › S. 114 verwechselt wird. Die umlaufenden Kolonnaden, teilweise direkt am Wasser, strukturieren das Areal um das stolze, tempel-

SPECIAL

Museumsinsel

In den 20er-Jahren des 19. Jhs. wurden Räume für die Königliche Kunstsammlung Friedrich Wilhelms III. benötig. Das Resultat war ein Ensemble aus fünf Museumstempeln – Altes Museum, Neues Museum, Alte Nationalgalerie, Pergamonmuseum und Bodemuseum.

Die überwältigende Fülle der Exponate auf der Museumsinsel reicht von Zeugnissen der alten Hochkulturen der Welt über frühchristlichen Byzantinismus und barocke Pracht bis hin zur deutschen und europäischen Kunst des 19. Jhs. Seit 1992 sind die Ost- und Westberliner Sammlungen unter dem Dach der »Staatlichen Museen zu Berlin – Preußischer Kulturbesitz« vereint. Die Bestände der Museumsinsel wurden dabei thematisch mit dem Kulturforum sowie den Museen in Charlottenburg und Dahlem abgestimmt.

Diese Neuordnung im Rahmen eines Masterplans für die Museumsinsel soll bis 2025 umgesetzt werden; während der Umbau-, Sanierungs- und Erweiterungsbauten bleiben einzelne Häuser oder Abteilungen geschlossen. Nach Abschluss der Arbeiten soll die Museumsinsel die Kunst und Kultur von über 6000 Jahre Menschheitsgeschichte präsentieren. Zudem werden Freiflächen auf der Museumsinsel neu gestaltet und Höfe für die Besucher geöffnet. Im Herbst 2013 wurde der Grundstein für die James-Simon-Galerie gelegt, das neue Eingangsgebäude zur Museumsinsel. Am Ende der Bauarbeiten werden die historischen Gebäude zur »Archäologischen Promenade« verbunden.

ähnliche Gebäude (1876 eröffnet): Bei der aufwendigen Generalsanierung wurde es technisch auf den neuesten Stand gebracht.

Seit der Wiedereröffnung wird hier die Malerei des 19. Jhs. ausgestellt, ergänzt durch die Galerie der Romantik aus dem Schloss Charlottenburg mit ihrer beeindruckenden Sammlung von Gemälden Caspar David Friedrichs (Mo geschl.).

Pergamon-museum 26 [H2]

Der Gebäudekomplex des Pergamonmuseums wurde 1912–30 von Alfred Messel und Ludwig Hoffmann im neoklassizistischen Stil errichtet, die Vorhalle kam 1981 hinzu. Seit 2008 wird das Haus im laufenden Betrieb abschnittsweise saniert und soll um einen vierten Flügel erweitert werden.

Hauptattraktionen des Museums sind der weltberühmte Pergamonaltar und das Markttor von Milet. Der Pergamonaltar wurde zwischen 1878 und 1886 von dem deutschen Ingenieur Carl Humann in mehreren Grabungen freigelegt. Der Altar stammt vom 300 m hohen Burgberg von Pergamon an der Westküste Kleinasiens. Dort erbauten die Attalidenherrscher 180 bis 159 v. Chr. diesen riesigen Marmoraltar als Weihgabe für die Götter. Seine Aufstellung in einem Museum verlangte einen großen Raum mit Oberlicht. Das Museum erlangte internationalen Ruhm nicht nur durch diese außergewöhnlichen Exponate, die beide im Mitteltrakt des hufeisenförmigen Gebäudes aufgebaut sind, sondern auch durch ihre gelungene betrachterfreundliche Präsentation. (Der mittlere Gebäudeteil mit dem Pergamonaltar-Saal ist bis ca. 2017 wegen Baumaßnahmen geschl.).

Im Grunde sind vier Einzelmuseen im Pergamonmuseum untergebracht: Der linke und mittlere Gebäudeflügel zeigen Teile der Antikensammlung; das Haupt- und Obergeschoss des rechten Flügels die Schätze des Vorderasiatischen Museums und des Museums für Islamische Kunst (z. B. die bunte Prozessionsstraße von Babylon mit dem Ischtar-Tor) sowie das (antike) Münzkabinett.

Bode-Museum 27 [H2]

An der Nordspitze der Museumsinsel erhebt sich der neobarocke Bau des Bode-Museums über der Spree. Ursprünglich Kaiser-Friedrich-Museum getauft, wurde es später nach dem damals bedeutendsten deutschen Museumsfachmann und Kunsthistoriker Wilhelm von Bode benannt, der den Bau des Hauses 1897 bei Kaiser Wilhelm II. durchgesetzt hatte. Bode führte hier das so genannte Epochenprinzip ein, nach dem Bilder, Skulpturen und Mobiliar aus jeweils einer Ära zusammen gezeigt werden. In das Museum eingebaut ist das Modell einer Basilika nach dem Vorbild von San Salvatore al Monte in Florenz.

Seit Oktober 2006 sind hier die Skulpturensammlung und das Museum für Byzantinische Kunst, das Münzkabinett (v. a. Mittelalter) sowie Werke der Gemäldegalerie zu besichtigen (Mo geschl.).

Karte S. 74

Tour 2: Museumsinsel **Zentrum**

Im Bode-Museum

Galeriehaus am Kupfergraben 28 [H2]

Sei 2007 hat Berlins Galerieszene gegenüber der Museumsinsel ein neues Vorzeigeobjekt. Der britische Architekt David Chipperfield errichtete für den Sammler Heiner Bastian ein privates Galeriehaus. Auf vier Etagen wird erstklassige Kunst gezeigt – unten durch die für ihre Gegenwartskunst international bekannte **Galerie Contemporary Fine Arts**, oben die **Sammlung des Hausherrn** (Am Kupfergraben 10, 10117, Tel. 288 78 70, www.cfa-berlin.com, oben: Di–Sa 10–18 Uhr; unten: Do/Fr 11–17.30, Sa 11–16 Uhr).

Zwischen Pergamon- und Deutschem Historischen Museum können Sie auf dem ❗ Antik- und Buchmarkt am Bodemuseum in Kunsthandwerk, Nippes und Trödel stöbern (Am Kupfergraben, 10117, www.antik-buchmarkt.de, Sa/So 11 bis 17 Uhr).

Monbijoupark 29 [H2]

Wer Erholung sucht, geht über die Monbijoubrücke in die große Parkanlage, in der das 1958 abgerissene Schloss Monbijou stand. Kronprinzessin Sophie Dorothea erhielt es von ihrem Gemahl Friedrich Wilhelm I. zum Geschenk.

Nach einigen Jahren auf einer provisorischen Bühne hat das **Hexenkessel Hoftheater** nun mit dem Amphitheater eine feste Open-Air-Spielstätte. Der hölzerne Theaterbau wurde nach italienischem Renaissancevorbild gestaltet (zwischen Spree, Monbijou- und Oranienburger Straße, Tel. 288 86 69 99, www.hexenkessel-theater.de).

Im Sommer wird im Monbijoupark Shakespeare »open air« aufgeführt, nebenan kann man in der Strandbar Mitte entspannen.

Im Winter lädt das Theater in die Märchenhütte zu Inszenierungen für Kinder und Erwachsene.

MITTE

Kleine Inspiration

- **Den Alexanderplatz** in all seiner Größe erfassen mit dem Fernsehturm, der Marienkirche, den vielen Läden und Lokalen › S. 90
- **Im Ephraims-Palais** die Kunst- und Kulturgeschichte Berlins studieren › S. 92
- **Von der Oranienburger Straße einen Abstecher** in die quirlige Torstraße und in die Auguststraße mit ihren modernen Galerien machen › S. 96
- **Bei einem Bummel durch die Sophienstraße** in den Cafés der Hackeschen oder der Sophie-Gips-Höfen eine Pause einlegen › S. 98

Karte S. 74

Tour 3 | 4 **Mitte**

Alexanderplatz und Nikolaiviertel, vibrierende Szenelokale und Läden, moderne Kunst zwischen Hamburger Bahnhof und Hackeschem Markt locken viele Besucher in den Bezirk Mitte.

In den 1920er-Jahren pulsierte rund um den **Alexanderplatz** das großstädtische Leben. Die vitale Stimmung, die Alfred Döblin in seinem Roman »Berlin Alexanderplatz« beschreibt, wird wohl kaum wieder aufleben. Der Zweite Weltkrieg hinterließ hier eine Trümmerwüste, die die DDR-Oberen abräumen ließen, um das Areal für ihre Aufmärsche und Truppenparaden zu nutzen.

Eines aber hat sich nicht geändert: Verkehrsknotenpunkt ist der »Alex« nach wie vor. Der Platz war also in den letzten Jahren alles andere als Berlins gute Stube. Das soll sich ändern, rund um den Platz wird fleißig gebaut, und das neue Einkaufszentrum Alexa hat sich schnell zu einem Besucher-Magneten entwickelt – auch wenn es von außen alles andere als hübsch aussieht, wie der Regierende Bürgermeister Wowereit feststellte.

Auch das **Nikolaiviertel** ist nicht unumstritten. Für die einen reizvoll, ist es für die anderen ein historisierender Abklatsch eines Altstadt-Viertels. Aber die vielen Restaurants und Kneipen in der Gegend bieten sich hervorragend für eine Verschnaufpause an.

Unweit davon schlägt im Roten Rathaus das politische Herz Berlins, hier hat der Regierende Bürgermeister seinen Sitz. Die Parade der sozialistischen Prachtbauten im Zuckerbäckerstil können Sie in der ca. 2 km langen **Karl-Marx-Allee** zwischen Strausberger Platz und Frankfurter Tor »bewundern«.

In der **nördlichen Stadtmitte** zieht es Kulturfans besonders in den Hamburger Bahnhof. Abseits des Kunst-Mainstreams lohnt sich auch eine Entdeckungsreise durch die zahlreichen kleinen Galerien.

Vibrierendes Zentrum von Mitte ist zumindest für die junge Szene die Gegend rund um die **Oranienburger Straße** und den **Hackeschen Markt**. Hier hat sich in den letzten Jahren viel verändert, wurden bröckelnde Fassaden herausgeputzt und haben Szenegänger ein Revier gefunden. Besonders im Sommer brodelt in dem Viertel das Straßenleben. Cafés und Restaurants wird man unterwegs in großer Auswahl finden. Langsam setzt hier bereits die nächste Verdrängungswelle ein. Restaurants und Cafés müssen mancherorts den Shops bekannter Marken und Verkaufsketten weichen, zudem siedeln sich immer mehr reine Touristenrestaurants an.

In dem Viertel kann gut der Werdegang jüdischen Lebens nachvollzogen werden: in der Neuen Synagoge, im Centrum Judaicum oder auf dem Alten Jüdischen Friedhof.

Die Hackeschen Höfe sind ein starker Besuchermagnet

Touren in Mitte

 Rund um den Alexanderplatz

Verlauf: Fernsehturm › **Rotes Rathaus** › **Nikolaiviertel** › **Märkisches Museum** › **Karl-Marx-Allee**

Karte: Seite 74
Dauer: 4–6 Stunden
Praktische Hinweise:
- Start- und Endpunkt ist Ⓢ/Ⓤ Alexanderplatz, an dem sich zahlreiche Linien kreuzen.
- Für den Ausflug zur Karl-Marx-Allee, wo die frühsozialistischen monumentalen Arbeiterpaläste beeindrucken, fährt man vom »Alex« zwei Stationen bis Strausberger Platz mit der Ⓤ 5 Richtung Hönow.

Tour-Start:

Am Alex wird neu gebaut. Damit soll der recht triste Platz in den nächsten Jahren ein neues Gesicht erhalten. Bereits etabliert hat sich das **Einkaufszentrum Alexa** mit 180 Geschäften und einem Food Court (Grunerstr. 20, 10179, Tel. 26 93 34 00, Mo–Sa 10–21 Uhr). Im Alexa gibt es den Alexanderplatz, den Fernsehturm oder den Hackeschen Markt im Westentaschen-Format bei LOXX – Miniatur Welten Berlin zu bestaunen. Auf 3000 m² präsentiert sich die Hauptstadt en miniature (Tel. 44 72 30 22, www.loxx-berlin.de, tgl. 10–20 Uhr, Eintritt 12,90 €, erm. 11,90 €, Kinder 8 €, bis 1 m Körpergröße frei).

Fernsehturm 30 ⭐ [J2]

Der Fernsehturm ist mit seinen 365 m das höchste Berliner Bauwerk. Er entstand 1969 als östliches Pendant zum Funkturm am Messedamm. Bei Sonnenschein erscheint ein Lichtkreuz auf der in Nirosta glänzenden Außenhaut der Aussichtskugel. Zu atheistischen DDR-Zeiten soll alles versucht worden sein, das Kreuz zu beseitigen – doch ohne Erfolg. Im Obergeschoss der Eingangshalle gibt es eine Galerie mit wechselnden Ausstellungen, die bei freiem Eintritt besichtigt werden können. Das sich drehende Telecafé (€€) in 207 m Höhe erlaubt einen einmaligen Rundblick über ganz Berlin bis weit ins Brandenburger Umland (Panoramastr. 1A, 10178, Tel. 24 75 75 875, www.tv-turm.de, März–Okt. 9–24, Nov.–Feb. 10 bis 24 Uhr, Aufzugsfahrt zur Aussichtsplattform und zum Café: 12,5 €, Kinder bis 16 J. 8 €).

Marienkirche 31 [J2]

Unproportioniert wirkt der gigantische Betonturm im Verhältnis zu der zierlichen Marienkirche an der Karl-Liebknecht-Straße 8. Der Bau entstand Mitte des 13. Jhs. und wurde in den nachfolgenden Jahrhunderten mehrmals verändert. Der entscheidende Eingriff geschah 1790 mit dem Aufsatz des neogotischen Turmhelms durch Carl Gott-

Karte S. 74

Tour 3: Rund um den Alexanderplatz **Mitte**

hard Langhans. Im Innern ist ein spätgotisches Fresko von kunsthistorischer Bedeutung, der »Totentanz«, hervorzuheben.

Auf dem Platz an der Marienkirche sprudelt der **Neptunbrunnen** 32, ein phantasievolles Zeugnis der neubarocken Kunst eines Reinhold Begas. Der bärtige Neptun thront in der Mitte auf einem Felsblock, umgeben von seinen Nymphen.

Rotes Rathaus 33 [J3]

Auf der anderen Seite der Rathausstraße erhebt sich das Rote Rathaus, offiziell Berliner Rathaus. Seit 1991 ist es wieder Sitz des Regierenden Bürgermeisters von Berlin. Der Name geht auf die rote Klinkerbauweise zurück. Stilistisch ist das Gebäude aus der zweiten Hälfte des 19. Jhs. von der Renaissance-Auffassung italienischer und flandrischer Rathäuser beeinflusst. Außen illustriert ein umlaufender Terrakottafries die Berliner Geschichte von ihren Anfängen bis zur Reichsgründung 1871. In der Vorhalle haben sich alle 23 Berliner Bezirkswappen in leuchtendem Fensterglas erhalten (Rathausstraße, 10178, Tel. 90 26-0, Mo–Fr 9–18 Uhr, außer bei Veranstaltungen). Zu besichtigen ist das Rathaus auch während der »Langen Nacht der Museen« im Feb./März und August (www.lange nacht-der-museen.de).

Marx-Engels-Forum 34 [J3]

Einsam und allein auf der begrünten Weite des Marx-Engels-Forums findet sich das Doppelstandbild von Karl Marx und Friedrich Engels. Unerschütterlich blicken die beiden Väter des Kommunismus – Engels stehend, Marx sitzend – gemeinsam nach Osten.

Nikolaiviertel [J3]

Im Nikolaiviertel, in dem sich reizvoll Häuser mit Giebeln und Erkern und mit nostalgischem Charme ducken, scheint die Zeit stehen geblieben zu sein. Etliche originelle Geschäfte laden zum Einkaufsbummel ein. Hier stand Berlins älteste Ansiedlung. Schon 1228 erhob sie Markgraf Johann I. zur Stadt. Im Zweiten Weltkrieg wurde das alte Herz Berlins fast vollkommen zerstört, in den 1980er-Jahren nach dem Vorbild historischer Bürgerhäuser neu gebaut und saniert – zuweilen mit der guten alten Platte und nicht immer ganz gelungen.

Das Rote Rathaus

Zwischenstopp: Restaurant
Zur Gerichtslaube €€ ❷ [J3]
Traditionsgaststätte mit Berliner und Brandenburger Spezialitäten.
• Poststr. 28 | 10178 | Tel. 241 56 98 tgl. ab 11.30 Uhr

Nikolaikirche 35 [J3]

Über die Dächer des Viertels ragen die Zwillingstürme der Nikolaikirche. Der Vorgängerbau, dessen Form durch Grabungen bekannt ist, entstand um 1230, nachdem deutsche Siedler sich hier niedergelassen hatten. Man kann deshalb vom ältesten christlichen Gotteshaus Berlins sprechen. Nach einem Brand folgte 1380 der heutige Feldsteinbau, doch erst 1877 konstruierte Baustadtrat Hermann Blankenstein die Backsteintürme dazu. Die im Zweiten Weltkrieg schwer zerstörte und anschließend wieder aufgebaute Kirche wurde jetzt umfassend saniert. Seit 2010 ist sie mit neuer Ausstellung zur Geschichte der Kirche und Berlins zu besichtigen (Nikolaikirchplatz, 10178, Tel. 24 00 21 62, tgl. 10–18 Uhr).

Ephraim-Palais 36 ★ [J3]

Die Ecke Poststraße/Mühlendamm prägt das Ephraim-Palais, das sich Hofjuwelier Veitel Heine Ephraim 1764 erbauen ließ. Die stilvoll abgerundete Ecke des Hauses galt als etwas Besonderes. Man nannte sie »die schönste Ecke Berlins«. Wegen der Erweiterung der Mühlendammbrücke musste das Rokokogebäude 1935 abgetragen werden. 1987 wurde es, örtlich versetzt, wieder aufgebaut. Das Haus beherbergt jetzt als Museum die **Graphische Sammlung des Stadtmuseums** und zeigt wechselnde Ausstellungen zur Kunst- und Kulturgeschichte Berlins (Poststr. 16, 10178, 5 €, erm. 3 €, bis 18 J. Eintritt frei, Tel. 24 00 21 62; Di, Do–So 10–18, Mi 12–20 Uhr).

Märkisches Museum 37 [J3]

Das Märkische Museum wartet nahe dem Spreeufer mit seiner umfangreichen Sammlung zur Geschichte Berlins und Brandenburgs auf. Es wurde 1874 auf Anregung von Rudolf Virchow und Ernst Friedel errichtet. Eine facettenreich konzipierte Dauerausstellung ist der Geschichte Berlins gewidmet, Wechselausstellungen ergänzen diese Präsentation. Eine echte Rarität ist die Sammlung mechanischer Musikinstrumente, sogenannte Automatophone, die sonntags um 15 Uhr gespielt werden.

Ludwig Hoffmann leitete 1907 die Erbauung des Komplexes vornehmlich aus rotem märkischem

SEITENBLICK

Velotaxis

In den wärmeren Jahreszeiten sind in der Berliner City die Velotaxis unterwegs – knuffige »Eier« auf Rädern, eine Art moderne Fahrradrikscha. Sie verkehren auf vier festen Linien (Unter den Linden, Potsdamer Platz, Tiergarten und Ku'damm), können aber auch für Individualtouren als Taxi gemietet werden (Tel. 01 78-800 00 41, www.velotaxi.de, Ende März–Okt.).

Karte S. 74

Tour 3: Rund um den Alexanderplatz **Mitte**

Backstein. Eine interessante Besonderheit ist das Zusammenspiel von Architektur und Ausstellungsinhalten. Ein Gebäudeteil ähnelt dem Schiff der Katharinenkirche in Brandenburg und der sich anschließende Turm dem Bergfried der Bischofsburg in Wittstock. Eindrucksvoll sind die »Gotische Kapelle« mit ihrer reichen Sammlung mittelalterlicher Skulpturen und die rekonstruierte »Große Halle«. Sie ist 14 m hoch und ähnelt der Gestalt eines Kirchenschiffs (Am Köllnischen Park 5, 10179, Tel. 24 00 21 62, Di bis So 10–18 Uhr, 5 €, erm. 3 €, bis 18 J. Eintritt frei).

Parochialkirche 38 [J3]

Über die Jannowitzbrücke erreicht man die Klosterstraße, wo sich Berlins bedeutendstes barockes Gotteshaus erhebt. Der schöne Zentralbau nach holländischem Vorbild wurde 1695–1703 nach Plänen von Johann Arnold Nering erbaut. Seit 1715 ertönte über zwei Jahrhunderte lang in dem von Jean de Bodt entworfenen Turmaufsatz halbstündlich ein Glockenspiel. Die Tradition der Klangkunst wird mit regelmäßigen Veranstaltungen fortgesetzt (Klosterstr. 67, 10179, Tel. 247 59 50).

In der Nachbarschaft ist ein Rest der mittelalterlichen Berliner Stadtmauer zu sehen. Der Schutzwall stammt aus dem 14. Jh. (tgl. ab 10 Uhr bis zur Dämmerung).

Karl-Marx-Allee 39 [K3–L3]

Die Karl-Marx-Allee zwischen Alexanderplatz und Frankfurter Tor gilt als ein Renommierprojekt der

!Erstklassig

Nightlife in Berlin

- **Weekend** [J2] › S. 51
  Einer der angesagtesten Clubs mit entsprechender Türpolitik.
  Alexanderplatz 5 | Mitte
  Do–Sa ab 23 Uhr
- **Victoria Bar** [F4] › S. 51
  Erstklassige Cocktails – eine der beliebtesten Bars der Stadt.
  Potsdamer Str. 102 | Tiergarten
  So–Do 18.30–3 Uhr, Fr und Sa 18.30–4 Uhr
- **Spindler & Klatt** [L4] › S. 51
  Stylishes Clubrestaurant mit Dinner am früheren und Dancefloor am späteren Abend.
  Köpenicker Str. 16–17 | Kreuzberg
  Dinner Do–Sa ab 20 Uhr,
  Clubbing Fr/Sa ab 23 Uhr, im Sommer unterschiedlich
- **Amber Suite**
  Gute Adresse für etwas ältere Nachtschwärmer, die das Tanzbein schwingen wollen. Einlass ist ab 27 Jahren.
  Mariendorfer Damm 1 | 12099 Tempelhof | www.ambersuite.de
- **Felix** im Adlon-Palais [G3]
  Exklusives Club-Restaurant mit kosmopolitischer Atmosphäre, edel designtem Interieur und schicken Gästen.
  Behrenstraße 72 | 10117 | Mitte
  www.felix-clubrestaurant.de
- **Havanna** [E6] › S. 51
  Karibische und lateinamerikanischen Rythmen dominieren.
  Hauptstraße 30 | Schöneberg
  Öffnungszeiten unterschiedlich.

Mitte Tour 3: Rund um den Alexanderplatz

Beeindruckend: Zuckerbäckerbauten in der Karl-Marx-Allee

frühen monumentalen DDR-Architektur. Die großen Wohnblocks stammen von 1949 bis 1960. Die prächtigsten Gebäude stehen zwischen dem Strausberger Platz und Frankfurter Tor. **50 Dinge** ③ › S. 12.

Bar

CSA Bar [L3]
Bar im 60er-Jahre-Look – gute Cocktails.
- Karl-Marx-Alle 96 | 10243 Friedrichshain | Tel. 29 04 47 41 www.csa-bar.de | tgl. ab 18 Uhr

SEITENBLICK

Sozialistischer Boulevard im Zuckerbäckerstil ⭐

Fürstliche 90 m ist die Karl-Marx-Allee breit. Den östlichen Auftakt zu dieser Straße bilden die beiden imposanten Rundtürme am Frankfurter Tor. Das Ganze mündet in das Rund des Strausberger Platzes mit dem Brunnen in der Mitte. Als Prachtboulevard im Wartestand, so konnte man diesen Teil der vormaligen Stalinallee lange Zeit bezeichnen. Die Fliesen fielen von den Fassaden, Läden standen leer, waren mit Brettern vernagelt. 1994 wurde der denkmalgeschützte Straßenzug mit den hoch aufragenden Wohngebäuden an die Deutsche Pfandbriefbank verkauft. Die Mammutsanierung lässt die alte Schönheit der Nobelmeile wieder erkennen. Entstanden ist der 1,7 km lange Abschnitt in den 1950er-Jahren auf Grundlage des »Nationalen Aufbauwerks«, das die DDR verkündet hatte. Von dieser Großbaustelle ging u. a. der Arbeiter-Aufstand am 17. Juni 1953 aus.

Ältere Anwohner berichten noch heute gern von den Hausfesten, die in der Hochstimmung der Anfangszeit stattfanden. Und Chefarchitekt Hermann Henselmann zeigte später Verbitterung darüber, dass er aus Kostengründen so nicht bis zum Alexanderplatz weiterbauen durfte, denn bald darauf kam die Platte!

Tour 4: Die nördliche Mitte **Mitte**

Die nördliche Mitte

Verlauf: Museum für Naturkunde › **Hamburger Bahnhof** › **Brecht-Weigel-Gedenkstätte** › **Oranienburger Straße** › **Neue Synagoge** › **Hackesche Höfe**

Karte: Seite 74
Dauer: 1 Tag (inklusive Museumsbesuche)
Praktischer Hinweis:
• Ausgangspunkt: U-Bahnhof Zinnowitzer Straße Ⓤ 6; der Spaziergang endet am S-Bahnhof Hackescher Markt, Ⓢ 5, Ⓢ 7, Ⓢ 9.

Tour-Start: Museum für Naturkunde 40 [G1–G2]

Die Tour beginnt mit dem Museum für Naturkunde als erstem Highlight, wo unter anderem ein 22 m langer Dinosaurier ausgestellt ist – der größte in einem Museum (Invalidenstr. 43, 10115, Tel. 20 93 85 91, www.naturkundemuseum-berlin.de, Di-Fr 9.30–18, Sa/So 10 bis 18 Uhr, 5 €, erm. 3 €).

Hamburger Bahnhof 41 [G2]

Im ehemaligen Hamburger Bahnhof betreibt die Neue Nationalgalerie mit dem **Museum für Gegenwart** einen zweiten Ausstellungsort mit Schwerpunkt zeitgenössische Kunst ab 1950: Malerei, Skulpturen, Grafik, Fotografie, Installationen. Einen Teil der Bestände stellte der Sammler Erich Marx als Dauerleihgabe mit Werken von Andy Warhol, Cy Twombly, Robert Rauschenberg, Roy Lichtenstein, Anselm Kiefer und Joseph Beuys (Invalidenstr. 50–51, 10557, Tel. 39 78 34 11, www.hamburgerbahnhof.de, Di, Mi, Fr 10–18, Do 10–20, Sa/So 11 bis 18 Uhr, 8–14 €, erm. 4–7 €).

Flick Collection

Das Museum wurde 2004 um einen Westflügel erweitert. In die Rieckhalle, eine ehemalige Speditionshalle, ist die einzigartige **Friedrich Christian Flick Collection** mit Wechselausstellungen eingezogen. Mit ca. 1500 Werken von etwa 150 Künstlern ist die Flick Collection die größte Privatsammlung zeitgenössischer Kunst.

Charité 42 [G2]

Als kleine Stadt in der Stadt erstreckt sich zwischen Humboldthafen und Luisenstraße: die älteste Berliner Klinik. Das durch Prof. Ferdinand Sauerbruch berühmt gewordene Krankenhaus besteht aus dem braunen Hochhaus des Chirurgischen Zentrums aus den 1970er-Jahren und einer Reihe märkischer Backsteingebäude. Die Charité (frz. für Nächstenliebe) ging aus einem Pestkrankenhaus hervor, das Friedrich I. 1710 vor den Toren der Stadt bauen ließ.

Im Jahr 1810 wurde das Hospital der Humboldt-Universität angegliedert. Das Terrain besticht durch seine schönen Gebäude im Stil der Neogotik und den von der Panke durchflossenen Park (Charitéplatz 1, 10117, www.charite.de).

Berliner Medizinhistorisches Museum 43 [G2]

Nichts für schwache Nerven sind die Exponate in dem 1899 von Rudolf Virchow gegründeten Museum, in dem eine 1000 Präparate umfassende pathologisch-anatomische Sammlung zu bestaunen ist (Charitéplatz 1, Charité, Eingang Spreekanal, 10117, www.bmmcharite.de, Tel. 450 53 61 56, Di, Do, Fr, So 10–17, Mi, Sa 10–19 Uhr, bis 16 Jahre nur in Begleitung Erwachsener, 7 €, erm. 3,50 €).

Hotel/Restaurant
Arte Luise Kunsthotel €€
Alle 50 Zimmer wurden von Künstlern gestaltet. Direkt an der S-Bahn-Trasse gelegen. Im Haus: Habel Weinkultur, ein Mix aus Brasserie und Weinhandlung.
• Luisenstr. 19 | 10117 | Mitte
  Tel. 28 44 80 | www.luise-berlin.com

Deutsches Theater 44 ⭐ [G2]

Den recht intimen Theaterplatz an der Schumannstraße schmücken das **Deutsche Theater** und die angrenzenden **Kammerspiele,** die zu den führenden Sprechbühnen in Berlin gehören. Begründet wurde der Ruf des Deutschen Theaters in den 1920er-Jahren durch Max Reinhardt, der mit bahnbrechenden Inszenierungen Bühnengeschichte machte. Während sich das Haupthaus den Klassikern verschrieben hat, inszenieren junge Regisseure in den Kammerspielen zeitgenössische Werke (Schumannstr. 13a, 10117, Tel. 28 44 12 25, www.deutschestheater.de).

Brecht-Weigel-Gedenkstätte 45 [G2]

In der Chausseestraße 125 verbrachte Bertolt Brecht gemeinsam mit seiner Lebensgefährtin Helene Weigel die letzten Lebensjahre. Bei einer Führung können die Wohnräume besichtigt werden (10115, Tel. 200 57 18 44, Besuch mit Führung: Di-Fr 10–11.30, Di auch 14 bis 15.30, Do auch 17–18.30, Führungen alle 30 Min.; Sa auch 12 bis 15.30 Uhr alle 30/60 Min., So 11 bis 18 Uhr alle 60 Min.).

Zwischenstopp: Restaurant
Weinbars liegen im Trend, das beweist die deutsch-österreichische **Cordobar** € ③ [H2].
• Große Hamburger Str. 32 | 10115
  Tel. 27 58 12 15 | Di–Sa 18–2 Uhr

Dorotheenstädtischer Friedhof [G2]

Neben der Brecht-Weigel-Gedenkstätte findet man auf einem malerischen kleinen Friedhof die schlichten Grabsteine Brechts und Weigels sowie die Gräber zahlreicher anderer Persönlichkeiten wie Karl Friedrich Schinkel, Georg Wilhelm Friedrich Hegel, Johann Gottlieb Fichte, Heinrich Mann und Heiner Müller. Geöffnet tgl. ab 8 Uhr bs zur Dämmerung (Chausseestr. 126).

Oranienburger Straße ⭐ [H2]

Zuerst von der jungen Szene erobert, sind die Straße und ihre Umgebung – **vor allem die Tor- und die Auguststraße** – nach wie vor »in«, gehören jedoch längst auch in

Karte S. 74

Tour 4: Die nördliche Mitte **Mitte**

Zeitgenössische Kunst im meCollectors Room

jede Sightseeing-Tour. Sehenswert sind zwei restaurierte Hinterhöfe: der **Kunsthof** (Nr. 27, 10117, www.kunsthof-berlin.de) und die **Heckmann-Höfe** (Nr. 32, 10117, www.heckmannmarkt.de).

Das **Kunsthaus Tacheles** [46] war ein multikulturelles Besetzerhaus, es machte seinem jiddischen Namen (»offene Rede«) alle Ehre. Das Gebäude, in der Kaiserzeit ein Kaufhaus, wurde saniert, teils blieb aber der marode Charme erhalten. Rund 30 Ateliers befanden sich hier bis zur finalen Räumung (Nr. 54–56a).

Der meCollectors Room ist ein ungewöhnliches Kunsthaus: Neben zeitgenössischen Ausstellungen wird in der »Wunderkammer« die Tradition der Kunst- und Wunderkammern der Renaissance und des Barocks neu belebt (Auguststr. 68, 10117, Tel. 86 00 85 10, www.me-berlin.com, Di–So 12–18 Uhr, 7 €, erm. 4 €).

Restaurants

Restaurants, Bars und Kneipen wie das indische Restaurant **Amrit** (Nr. 45, 10117) [H2] oder um die Ecke das **Bötzow-Privat** (Linienstr. 113, 10115) [H2] mit Berliner Küche und die schwäbisch-badischen **Schwarzwaldstuben** (Tucholskystr. 48, 10117) [H2] sind Tag und Nacht Szene-Treffpunkte.

Die phänomenalen Käsekuchenkreationen »Dancing with Merengue« oder »Strawberry Kisses« im Café **Princess Cheesecake** zergehen auf der Zunge (Tucholskystr. 37, 10117, Tel. 28 09 27 60, tgl. 10–19 Uhr) [H2].

Jüdische Gedenkstätten [II2]

Die Gegend um die Oranienburger Straße war bis zur Machtergreifung der Nationalsozialisten eines der Zentren jüdischen Lebens in Berlin. Neben neu belebten jüdischen Institutionen gibt es noch Spuren der Vergangenheit.

Lichtinstallationen weisen in die Sophie-Gips-Höfe

Neue Synagoge 47 [H2]

Über den Dächern der Umgebung glänzt die goldverzierte Mittelkuppel der Neuen Synagoge. Das prächtige Gotteshaus wurde 1866 errichtet. Der Architekt Friedrich August Stüler wählte stark orientalisierende Bauformen; so sehen die beiden Seitentürmchen wie Minarette aus.

Bis zur Pogromnacht 1938 wurden hier jüdischer Glaube und jüdische Kultur gelebt. Albert Einstein spielte bei den Synagogenkonzerten die Geige. Eine Bombennacht machte das Bauwerk 1943 zur Ruine. Erst 1988 wurde die Aufbauarbeit begonnen.

1995 wurde das **Centrum Judaicum** eröffnet, ein Museum zur Geschichte der Berliner Juden und der Synagoge (Oranienburger Str. 28–30, 10117, Tel. 880 28-300, www.cjudaicum.de; So, Mo 10–20, Di bis Do 10–18, Fr 10–17 Uhr, März und Okt. Fr bis 14 Uhr, Nov.–Feb. So, Mo, Di, Do 10–18, Fr 10–14 Uhr; die Kuppel ist ebenfalls zugänglich).

Alter Jüdischer Friedhof 48 [H2]

Etwa 20 Grabsteine mit hebräischen Inschriften auf dem Friedhof in der Großen Hamburger Straße sind die letzten Zeugnisse, die die Zerstörungsaktionen der Nazis 1943 überstanden. An Moses Mendelssohn, Berlins berühmten Philosophen, erinnert ein Grab (Große Hamburger Str. 26, 10117).

Sophienstraße ★ [H2–J2]

Einige Schritte weiter steht die protestantische **Sophienkirche** 49 mit dem einzigen Barockturm Berlins. Das von neubarocken Wohnhäusern gerahmte Gotteshaus wurde 1712 von Königin Sophie Luise, der Gattin Friedrichs I., gestiftet. Auf dem Kirchhof liegen Berliner Geistesgrößen wie Carl Friedrich Zelter und Leopold von Ranke begraben (Große Hamburger Str. 29–30, 10115). Die Altbauten der Sophienstraße verbergen verwinkelte Höfe: Lichtinstallationen weisen durch die schicken Sophie-Gips-Höfe den Weg (Nr. 21, 10178, www.sophiegips.de). Kunstfans können versuchen, eine Führung durch die Sammlung Hoffmann, der Privatsammlung von Erika und Rolf Hoffmann, zu bekommen (Anmeldung Tel. 28 39 91 20, Sa 11 bis 16 Uhr, 10 €).

Karte S. 74

Tour 4: Die nördliche Mitte **Mitte**

Die **Sophiensaele** im ehemaligen Handwerkervereinshaus verstehen sich als Schnittstelle von Theater, Tanz, Performance, Musik und Bildende Kunst – ein Muss für Tanztheaterfans (Nr. 18, 10178, Tel. 283 52 66, www.sophiensaele.de).

Hackesche Höfe 50 ⭐ [J2]

Um die Ecke führt der Haupteingang der Hackeschen Höfe in ein Labyrinth von acht Innenhöfen. Auf dem ersten Platz bringen weiße und farbige Glasursteine an den Fassaden den Jugendstil zur Geltung. Der Roman »Berlin Alexanderplatz« spielt im schrägen Milieu dieser Wohn- und Gewerbeanlage. Zahlreiche Cafés, Restaurants und schöne Geschäfte haben sich hier etabliert (Rosenthaler Str. 40–41, 10178).

Im schönen Café **Hackescher Hof** sitzt man gut mit Blick auf den belebten Hackeschen Markt (Tel. 283 52 93, www.hackescher-hof.de, Mo–Fr ab 8, Sa/So ab 9 Uhr).

Die Kleinkunst-Bühne **Chamäleon** bietet leichte Muse: Musik-Theater-Varieté (www.chamaeleonberlin.de, Tel. 400 05 90).

Anne-Frank-Zentrum [J2]

In einem historischen Gebäude gleich neben den Hackeschen Höfen wird mit der ständigen Ausstellung »Anne Frank. Hier & heute« an die Verbrechen der Nazis erinnert. Das Kulturzentrum trägt mit zahlreichen Veranstaltungen die Botschaft von Annes Tagebuch in die heutige Zeit (Rosenthaler Straße 39, 10178, www.annefrank.de, Di–So 10–18 Uhr, 5 €, erm. 3 €).

Hackescher Markt [J2]

In und um die S-Bahn-Bögen am S-Bahnhof Hackescher Markt hat sich eine bunte Kneipenszene herausgebildet. Der mit Klinkersteinen dekorierte Viadukt entstand 1878 unter dem Namen Bahnhof Börse; in der nahen Burgstraße florierte bis 1943 die Berliner Börse.

Volksbühne 51 [J2]

An der Grenze zum Prenzlauer Berg steht am Rosa-Luxemburg-Platz der Bau der Volksbühne. Das Theater machte in den 1920er-Jahren als proletarisches Theater Furore. Man versucht in der Tradition von Erwin Piscator und Benno Besson eine Synthese aus Avantgarde und sozial engagiertem Theater (Rosa-Luxemburg-Platz, 10178, Tel. 24 06 57 77, www.volksbuehne-berlin.de).

SEITENBLICK

Das Scheunenviertel

Die Gegend nordwestlich der Volksbühne um Gormann- und Mulackstraße erhielt diesen inoffiziellen Namen auf Grund einer Feuerschutzordnung des Großen Kurfürsten, der 1672 das leicht brennbare Stroh und Getreide vor die Stadtmauer verbannen ließ. So entstanden hier Scheunen zur Lagerung.

Die Bezeichnung Scheunenviertel weiteten erst die Nationalsozialisten auf die Gegend um die Oranienburger Straße aus, um die hier lebenden Juden zu diskriminieren.

RUND UM DEN TIERGARTEN

Kleine Inspiration

- **Im Reichstag einer Plenarsitzung** beiwohnen. Dafür müssen Sie sich jedoch frühzeitig anmelden › S. 103
- **Im Stäv (Ständige Vertretung)** ein Kölsch trinken gehen und hoffen, dass man ein bekanntes Gesicht erblickt › S. 104
- **An einer Führung durch die Königliche Porzellan-Manufaktur** teilnehmen › S. 108
- **Boot fahren** auf dem Neuen See im Tiergarten › S. 108
- **Die architektonisch interessanten Botschaftsgebäude** in der Tiergartenstraße bewundern › S. 115

Karte
S. 104

Tour 5 | 6

Rund um den Tiergarten

Hochkultur zwischen Philharmonie und Gemäldegalerie, Unterhaltung und aufregende Architektur am Potsdamer Platz sowie zahlreiche Regierungsneubauten prägen den Bezirk Tiergarten.

Der Tiergarten ist mit großzügigen 200 ha Wiesenfläche und 25 km Spazierwegen der größte Park Berlins. Baumgruppen, Blumenbeete, kleine und größere Teiche schaffen eine idyllische Atmosphäre, um die Inseln des Neuen Sees kann man sogar mit dem Boot paddeln. Für viele Berliner, die keinen Garten haben, ist das Areal im Sommer ein beliebter Treffpunkt. Quer durchs Grüne führt die **Straße des 17. Juni**, deren Name an den Ostberliner Arbeiteraufstand von 1953 erinnert. Samstags und sonntags gehört sie zwischen Bachstraße und Einsteinufer den Trödlern und Sammlern: ❗ Dann findet hier zwischen 10 und 17 Uhr Berlins größter Flohmarkt statt (Ⓢ Tiergarten).

Im **Tiergarten** befinden sich Sehenswürdigkeiten wie die **Siegessäule**, **Schloss Bellevue** oder der **Zoologische Garten** – aber auch Kultureinrichtungen wie das **Haus der Kulturen der Welt** oder **Tipi – Das Zelt** sowie schöne Cafés und Biergärten. Ganz im Nordwesten die **Akademie der Künste** und das **Hansaviertel** mit Wohnbauten bedeutender Architekten der klassischen Moderne wie Walter Gropius. Am östlichen Rand liegt das Machtzentrum der Bundesrepublik mit **Reichstag** und **Kanzleramt**, südlich das **Kulturforum** mit **Philharmonie** und **Neuer Nationalgalerie** sowie weiteren hochkarätigen Museen, aber auch das **Botschaftsviertel** und die **Gedenkstätte Deutscher Widerstand**.

Das Kulturforum schafft zudem heute, nachdem es zu Zeiten der Mauer isoliert im Schatten der Mauer gelegen hat, die Verbindung zum **Potsdamer Platz**. Dieser schließt somit die Lücke zwischen City-West und City-Ost. Anfangs besonders architektonisch umstritten, zeigt sich das Viertel heute einer Metropole würdig und präsentiert sich mit vielfältigen Möglichkeiten von Shopping bis Kultur voller vitalem urbanem Leben.

Oben: Das Bundeskanzleramt
Links: Die überdachte Piazza im Sony Center

Touren rund um den Tiergarten

Ein Gang durch den Tiergarten

Verlauf: Sowjetisches Ehrenmal › Reichstag › Bundeskanzleramt › Haus der Kulturen der Welt › Schloss Bellevue › Akademie der Künste › Siegessäule › Zoologischer Garten

Karte: Seite 104
Dauer: 6 Stunden
Praktischer Hinweis:
- Startpunkt: Ⓢ Brandenburger Tor.
- Man kann den Spaziergang durch eine Busfahrt abkürzen. Am besten besteigt man in diesem Fall am Reichstag den Bus der Linie 100 Richtung Zoologischer Garten und fährt am Haus der Kulturen der Welt vorbei bis Schloss Bellevue. Dann geht es von Schloss Bellevue zu Fuß durch den Tiergarten zur Akademie der Künste im Hansaviertel und zur Siegessäule. Von dort entweder zu Fuß oder mit dem Bus 100 zum Zoologischen Garten.

Tour-Start: Sowjetisches Ehrenmal 1 [G3]

Von der S-Bahn Brandenburger Tor passiert man das Brandenburger Tor und steht auf der Straße des 17. Juni bald am Ehrenmal, das nach der Besetzung Berlins 1945 errichtet wurde. Dort fanden 2500 russische Soldaten ihre letzte Ruhestätte.

Das Gelände lag im Sektor der britischen Besatzer, die es den Sowjets auf unbestimmte Zeit zur Verfügung stellten. Zu Zeiten der Mauer war der Wachwechsel eine Touristenattraktion. 1990 hat sich die Bundesrepublik im deutsch-sowjetischen Vertrag über gute Nachbarschaft zur Pflege der Stätte verpflichtet (Straße des 17. Juni, 10785).

Reichstag 2 ⭐ [G3]

Der ehemalige Reichstag vor dem Platz der Republik geht auf die Zeit der Gründung des Deutschen Reiches zurück, wurde jedoch erst 1894 durch Paul Wallot fertig gestellt. Kaiser Wilhelm II. missfiel das mächtige Symbol der parlamentarischen Demokratie, und er nannte den Reichstag eine »Quasselbude«. 1918 rief Philipp Scheidemann hier die Republik aus. 1933 ging es durch Brandstiftung in Flammen auf – die Nazis nahmen den Anschlag zum Anlass, gegen politisch Andersdenkende vorzugehen und die Pressefreiheit einzuschränken.

1945 hisste die Rote Armee die sowjetische Flagge über der eingestürzten Kuppel. Während der Teilung beherbergte das auf Westberliner Seite stehende Gebäude ein Museum.

Am 20. Dezember 1990 konstituierte sich hier das Parlament des wiedervereinten Deutschland.

Karte S. 104 — Tour 5: Ein Gang durch den Tiergarten — **Rund um den Tiergarten**

Moderne Architektur für die Bundestagsausschüsse: das Paul-Löbe-Haus

Im Juni 1995 wurde der Reichstag von den Verhüllungskünstlern Christo und Jeanne-Claude zum modernen Kunstwerk stilisiert. Danach setzte ihm der Londoner Architekt Sir Norman Foster eine 23 m hohe begehbare Glaskuppel auf – als moderne Antwort auf das verlorene Original. Nach umfangreicher Sanierung wurde der Deutsche Bundestag im Mai 1999 eröffnet. Die Kuppel avancierte sofort zum Wahrzeichen des neuen Berlin und zum Besuchermagneten (Platz der Republik 1, 11011).

Kuppel und Aussichtsterrasse des Reichstags sind tgl. 8–24 Uhr (letzter Einlass 22 Uhr) zugänglich nur mit Anmeldung: www.bundestag. de/besuche, Fax 22 73 61 36 oder Post: Deutscher Bundestag, Besucherdienst, Platz der Republik 1, 11011 Berlin. Führungen durch den Reichstag außerhalb der Sitzungszeiten des Parlaments: tgl. 10.30, 13.30, 15.30, 18.30 Uhr; auch Besuch einer Plenarsitzung, Familien- und Kunstführungen, Anmeldung: s.o. **50 Dinge** ㉒ › S. 14.

Jakob-Kaiser-Haus [G3]

Zu den Bundestagsneubauten gehört auch das Jakob-Kaiser-Haus hinter dem Reichstag mit Abgeordnetenbüros und Fraktionsräumen (Platz der Republik 1, 11011).

Paul-Löbe-Haus 3 [G2]

Das 2001 eröffnete Gebäude im Spreebogen dient als Tagungsort für Bundestagsausschüsse – der Namensgeber Paul Löbe war von 1920 bis 32 Reichstagspräsident der Weimarer Republik. Beim Betrachter entsteht der faszinierende Eindruck einer 200 m langen Wandscheibe, in die vier Lichthöfe eingeschnitten sind. Unter einem imposanten Vordach tritt man durch eine große Glasfassade in eine kathedralenhafte, 200 m lange Halle mit acht Rotunden, einer lichtdurchfluteten Betonrasterdecke und durchgehenden Glaswänden an den Stirnseiten. Draußen ziehen an Politikern und Regierungstouristen die Schiffe auf der Spree in Augenhöhe vorbei. In den Fußboden der Halle sind Sätze von Ricarda Huch und Thomas

Rund um den Tiergarten — Tour 5: Ein Gang durch den Tiergarten

 Karte S. 104

Mann graviert (Platz der Republik 1, 11011).

550 Bundestagsabgeordnete haben hier ihre Büros, hinzu kommen 19 Sitzungssäle und 450 Büros für Parlamentsausschüsse, insgesamt 1700 Räume. In der östlichen Rotunde gewährt das Besucherrestaurant einen Panoramablick (Anmeldung). Es werden z. B. Kunst- und Architekturführungen angeboten (Sa/So 14/16 Uhr, Anmeldung › Reichstag), anschließend kann die Kuppel besucht werden. Unten am Fluss lädt eine öffentlich zugängliche Promenade zum Flanieren quasi im Schatten der Regierung ein.

Marie-Elisabeth-Lüders-Haus 4 [G2]

Auf der anderen Spreeseite setzt sich das sogenannte Band des Bundes fort. Der Sitz von Bundestagsbibliothek, Poststelle und Fahrdiensten ist nach der Staatsrechtlerin Marie Elisabeth Lüders (1878 bis 1966) benannt, die als erste Frau an einer deutschen Universität einen Doktortitel erlangte (Schiffbauerdamm, 10117).

Bundespressekonferenz 5 [G2]

Nur wenige Meter sind es zum nachts illuminierten Haus der Bundespressekonferenz am Schiffbauerdamm (Nr. 40, 10117, www.bundes-pressekonferenz.de). Ein paar Schritte weiter zieht es mancher Politiker in der »Ständigen Vertretung«, kurz Stäv, schon mal gern ein Kölsch (Schiffbauerdamm 8, 10117, www.staev.de, tgl. 10.30–1 Uhr).

Info Regierungsviertel
Deutscher Bundestag, Besucherdienst
Informiert über Besuchsmöglichkeiten und Führungen.
• Platz der Republik 1 | 11011 Berlin
Tel. 22 73 21 52 oder 22 73 59 08
besucherdienst@bundestag.de
www.bundestag.de/besuche/

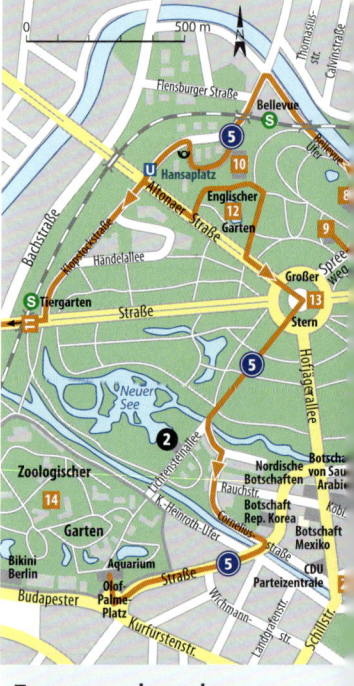

Touren rund um den Tiergarten

Tour 5

Ein Gang durch den Tiergarten
1 Sowjetisches Ehrenmal
2 Reichstag
3 Paul-Löbe-Haus
4 Marie-Elisabeth-Lüders-Haus
5 Bundespressekonferenz

Rund um den Tiergarten

Tour 5 | 6

Wer sich neben Architektur für politische Entscheidungsfindung und Machtspiele interessiert, sollte folgendes Buch lesen: Heinrich Wefing, KULISSE DER MACHT, Das Berliner Kanzleramt. Deutsche Verlags-Anstalt, Stuttgart/München 2001 (zu beziehen über Versandhandel und Antiquariate).

Bundeskanzleramt 6 [F2– G2]

Der von den Architekten Axel Schultes und Charlotte Frank geschaffene Sitz des Bundeskanzlers gegenüber dem Reichstag war und ist bis heute nicht unumstritten. Viele reiben sich an seiner Monumentalität (»Kohlosseum!«) – das

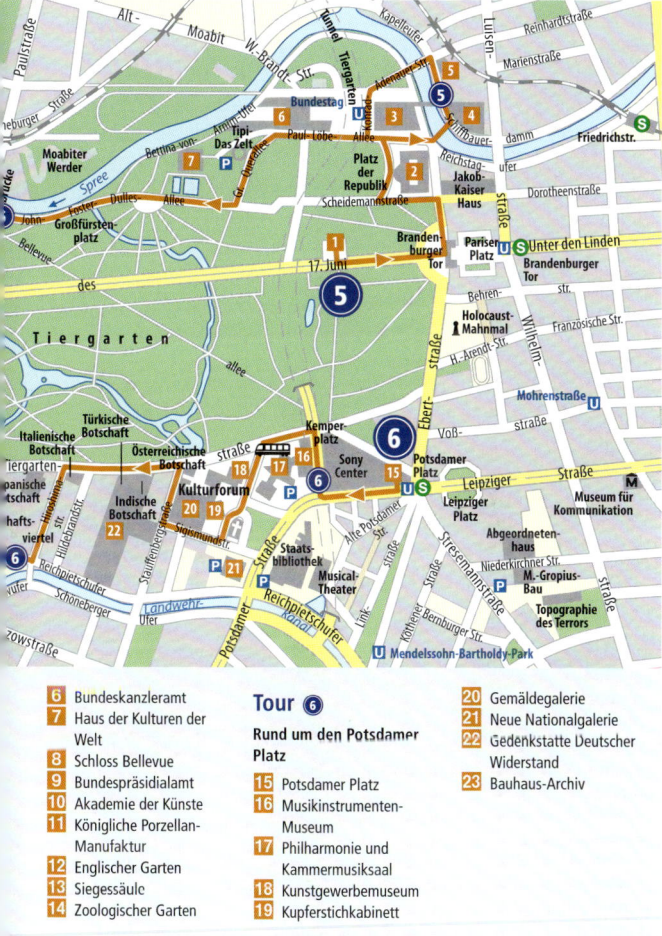

6 Bundeskanzleramt
7 Haus der Kulturen der Welt
8 Schloss Bellevue
9 Bundespräsidialamt
10 Akademie der Künste
11 Königliche Porzellan-Manufaktur
12 Englischer Garten
13 Siegessäule
14 Zoologischer Garten

Tour 6

Rund um den Potsdamer Platz

15 Potsdamer Platz
16 Musikinstrumenten-Museum
17 Philharmonie und Kammermusiksaal
18 Kunstgewerbemuseum
19 Kupferstichkabinett
20 Gemäldegalerie
21 Neue Nationalgalerie
22 Gedenkstätte Deutscher Widerstand
23 Bauhaus-Archiv

Weiße Haus in Washington passt viermal hinein, Downing Street 10 in London bequem in einen Seitenflügel. An den 36 m hohen Kanzlerkubus sind beidseitig 18 m hohe und 335 m lange Verwaltungsflügel angeflanscht, deren Sandsteinfassaden von Wintergärten durchbrochen sind. Fast schon verspielt wirkt der Haupteingang mit 14 m hohen Betonstelen, einem geschwungenen Textildach und in Betonsäulen gepflanzten Felsenbirnbäumen, Raseninseln und der Skulptur »Berlin« von Eduardo Chillida. Das Foyer wird bestimmt vom großen Konferenzraum und der eindrucksvollen Treppenanlage mit der Skulptur »Die Philosophin« von Markus Lüpertz.

Tipi – Das Zelt [F3]

Das Zweitzelt der Bar jeder Vernunft › S. 50 zwischen Kanzleramt und Haus der Kulturen der Welt bietet vielfältige Veranstaltungen aus den Bereichen Kabarett, Chanson und Artistik (Große Queralle, 10557, Tel. 39 06 65 50, www.tipi-am-kanzleramt.de; mit Restaurant).

Haus der Kulturen der Welt 7 [F3]

Nur einen Steinwurf vom Bundeskanzleramt an der John-Foster-Dulles-Allee liegt das Haus der Kulturen der Welt, das wegen seiner Platzierung in einem Wasserbecken und wegen des geschwungenen Daches im Berlin-Jargon »Schwangere Auster« genannt wird. Es entstand 1957 als amerikanischer Beitrag zur Messe Interbau. Das Gebäude beherbergt ein Auditorium für 1250 Zuschauer, eine Ausstellungshalle für zeitgenössische Künste und Sitzungssäle. Hier erhalten außereuropäische Kulturen ein Forum für Kunst, Musik, Tanz, Literatur etc. (John-Foster-Dulles-Allee 10, 10557, Tel. 39 78 71 75, www.hkw.de).

Schloss Bellevue 8 [E3]

Entlang der Spree mit Blick auf die schwungvolle Bebauung auf dem Moabiter Werder (Wohnungen für Bundesbedienstete) erreicht man Schloss Bellevue, seit 1993 Amtssitz des Bundespräsidenten. Die frühklassizistische Anlage wurde 1785 für Prinz Ferdinand von Preußen, jüngster Bruder Friedrichs des Großen, errichtet. Nach schweren Kriegszerstörungen wurde es mit verändertem Inneren wieder aufgebaut. Nur der 1791 von Carl Gotthard Langhaus eingebaute ovale Saal blieb erhalten (Spreeweg 1, 10557).

Bundespräsidialamt 9 [E3]

Zwischen Schloss Bellevue und Siegessäule liegt der ellipsenförmige Neubau des Bundespräsidialamtes. Im November 1998 bezogen die Bonner Beamten das außen dunkelgrün polierte und innen in Weiß erstrahlende Gebäude. Den Bauwettbewerb hatte Ex-Bundespräsident Herzog zugunsten der Architekten Martin Gruber und Helmut Kleine-Kraneburg aus Frankfurt/M. entschieden (Spreeweg 1, 10557, www.bundespraesident.de).

Karte S. 104 — Tour 5: Ein Gang durch den Tiergarten — **Rund um den Tiergarten**

Die »Schwangere Auster«, das Haus der Kulturen der Welt

Hansaviertel und Akademie der Künste 10 [E3]

Ein Spaziergang durch den Tiergarten entlang der Spree führt zum Hanseatenweg 10, wo man in der Akademie der Künste in eine formschöne Welt aus Glas, Klinker, Holz, Beton und Schiefer eintauchen kann. Das dreiteilige 1960er-Jahre-Ensemble besteht aus dem kubischen Ausstellungsgebäude, dem spitzen Studiobau und dem fünfgeschossigen Blauen Haus. Die Institution selbst geht auf das Jahr 1696 zurück, als Kurfürst Friedrich III. die dritte Kunstakademie Europas nach Paris und Rom gründete (10557, Tel. 200 57-20 00, www.adk.de, tgl. 11–19 Uhr, Ausstellung Di bis So 11–19 Uhr).

Zum Hansaviertel gehören neben den Akademiegebäuden die Siedlungsbauten entlang der **Klopstockstraße**, der **Bartning-** und der **Händelallee**. Unter der Beteiligung namhafter Architekten wie Walter Gropius und Max Taut entstanden die Gebäude in den 1950er-Jahren als westliche Antwort auf die Stalinallee im Ostteil der Stadt. Locker sind Flachbauten mit Hochhäusern kombiniert, die Grünanlagen des Tiergartens mit einbezogen.

Die originellen Theaterstücke des nahe gelegenen **Grips Theaters** sind bei Jugendlichen und Erwachsenen beliebt (Altonaer Str. 22, 10557, Tel. 39 74 74 77, Aufführun-

SEITENBLICK

Kahlschlag

Der **Tiergarten** war kurfürstliches Wildgehege, bis ihn Preußens bedeutender Gartenarchitekt Peter Joseph Lenné 1839 zum englischen Landschaftspark umgestaltete.

Von der ursprünglichen Anlage ist nur noch an manchen Stellen etwas zu erahnen, denn nach 1945 benötigten die Berliner dringend Brennmaterial und holzten die Bäume ab.

Erst im Jahr 1949 wurde mit Unterstützung der westlichen Besatzungsmächte wieder aufgeforstet.

gen finden auch im Podewil statt, Klosterstr. 68, 10179, Mitte, www.grips-theater.de).

Königliche Porzellan-Manufaktur 11 [D3]

Ein Abstecher führt in die Wegelystraße 1, nahe Ⓢ Tiergarten: Gut 250 Jahre ist die Geschichte der KPM alt. In der Traditionswerkstatt wurde die Dauerausstellung »KPM Welt« über die Geschichte des Porzellans eingerichtet (10623, Tel. 39 00 90, de-de.kpm-berlin.com, Mo–Sa 10–18 Uhr, 10 €, erm. 5 €, bis 12 J. frei; Führungen durch die KPM Welt Sa 15 Uhr, 12 €, erm. 7 €).

Shopping

Das edle Porzellan kauft man direkt in der **Manufaktur** s.o. oder in der **KPM-Galerie** (Kurfürstendamm 27, 10719, Tel. 88 62 79 61, Mo–Sa 8–20 Uhr).

Englischer Garten 12 [E3]

Die Anlage gehörte früher zum Schlosspark Bellevue, der einmal einer der schönsten Parks Berlins war. Im Zweiten Weltkrieg wurde das Parkgelände völlig zerstört und in den 1950er-Jahren im Rahmen einer Spendenaktion der Shropshire Horticultural Society aus dem englischen Shrewsbury neu angelegt (Straße des 17. Juni 100, 10557).

Siegessäule 13 [E3]

Inmitten des »Großen Sterns«, wie die fünfzackige Kreuzung heißt, wird die Siegessäule vom Verkehr umbraust. Oben steht die 35 t schwere Figur der Viktoria auf einer Zehenspitze. »Gold-Else«, die diesen Namen ihrer kostbaren Umhüllung verdankt, konnte 1985 gerade noch rechtzeitig vor dem Absturz gerettet werden; 2010/11 wurde sie neu vergoldet. Im Innern kann man auf einer Wendeltreppe bis zur 48 m hohen Aussichtsplattform hinaufsteigen (Großer Stern, 10557, Sommer Mo–Fr 9.30–18.30, Sa/So bis 19, Winter Mo–Fr 10–17, Sa/So bis 17.30 Uhr). **50 Dinge** ⑥ › S. 12.

Zwischenstopp: Restaurant

Auf dem Weg zum Zoo bietet sich eine Pause im Biergarten **Café am Neuen See** € ❶ [E3] an – mit Bootsverleih nebenan. (Lichtensteinallee 2, 10787, Tel. 25 44 93 00, tgl. ab 9 Uhr, www.cafeamneuensee.de).

Zoologischer Garten 14 ★ [D4–E4]

Mit fast 3 Mio. Besuchern im Jahr ist der Zoo eine der meistbesuchten Sehenswürdigkeiten der Hauptstadt. 1842 schenkte Friedrich Wilhelm IV. den Berlinern seine königliche Tiersammlung als Grundstock des Zoos. Für jede Art wurden z. T. reizvolle Häuser gebaut. Mit 1470 Arten und über 20 000 Tieren ist dies der artenreichste Zoo der Welt – (Budapester Str. 34, 10787, www.zoo-berlin.de, tgl. 9–19, Winter bis 17 Uhr, 13 €, erm. 10 €, Kinder bis 15 Jahre 6,50 €, Ⓤ/Ⓢ Zoologischer Garten). **50 Dinge** ㉗ › S. 15. Für Regentage empfiehlt sich das **Zoo-Aquarium** – einzigartig in Deutschland sind die drei neuen Ganges-Gaviale (Budapester Str. 32, 10787, www.aquarium-berlin.de, tgl. 9–18 Uhr, 13 €, erm. 10 €, bis 15 Jahre 6,50 €).

Karte S. 104

Tour 6: Rund um den Potsdamer Platz

Rund um den Tiergarten

Das Sony Center des Architekten Helmut Jahn ist ein Symbol für die neue Mitte

Rund um den Potsdamer Platz

Verlauf: Potsdamer Platz › Philharmonie › Gemäldegalerie › Neue Nationalgalerie › Gedenkstätte Dt. Widerstand › Bauhaus-Archiv

Karte: Seite 104
Dauer: 6 Stunden; mit Museumsbesuchen 1–2 Tage
Praktische Hinweise:
- Startpunkt U-Bahnhof Ⓤ 2 oder S-Bahnhof Potsdamer Platz Ⓤ 2, Ⓢ 1, Ⓢ 2, Ⓢ 25 oder mit den Buslinien M 41, M 48, M 85 und 200.
- Vom Bauhaus-Archiv fährt der Bus 100 in die West- oder Ost-City.

Tour-Start: Potsdamer Platz 15 ⭐ [G3–G4]

Auf den 67 000 m² Brachland an der einstigen Mauer entstand in weniger als zehn Jahren ein völlig neuer Stadtteil. Der Mailänder Renzo Piano baute für das Daimler-Chrysler-Unternehmen **Debis**, Georgio Grassi entwarf Hochhäuser für **ABB**, Helmut Jahn schuf für **Sony** einen gigantischen Komplex aus Wohn- und Gewerbeflächen. Über 600 exklusive Wohnungen entstanden, dazu ein **Spielcasino**, ein **Musicaltheater**, das noble **Grand Hyatt Hotel**, das **CinemaXX Kinocenter** für 3500 Besucher, Schauplatz der Filmfestspiele, das Shoppingcenter **Potsdamer Platz Arkaden**, Bars und Restaurants. Eine bautechnische Sensation war die Versetzung des Esplanade-Kaisersaals um 75 m mit einem Luftpolster. Im Sony Center ist die **Deutsche Kinemathek – Museum für Film und Fernsehen** untergebracht. Das **Beisheim-Center** beherbergt die Luxushotels Ritz-Carlton und Marriott sowie Wohnungen und Büros. Das Verkehrschaos mindert der 2,4 km lange Tiergartentunnel unter dem Potsdamer Platz und Regierungsviertel.

SPECIAL

Potsdamer Platz

Kann sich noch jemand an die Diskussionen vor wenigen Jahren über Berlins Zentrum erinnern? Ku'damm oder Friedrichstraße? Friedrichstraße oder Ku'damm?

Die Wahrheit liegt in der Mitte, auf dem **Potsdamer Platz** also. Der macht eindeutig das Rennen – mit dem Sony Center oder dem Beisheim-Center, mit seinen Büros, Luxuswohnungen und den Luxushotels Ritz-Carlton und Mariott, mit Spielbank, Musical-Theater, Shopping-Arkaden und einer bunten gastronomischen Mischung.

Neue Wege

Erst der Potsdamer Platz verbindet die beiden ehemaligen Stadthälften West und Ost, verzahnt die Stadträume bis hin zum Regierungsviertel. Eingefahrene Wege lösen sich auf, neue Strecken entstehen: vom Tiergarten über Potsdamer Platz zum Brandenburger Tor, von der Friedrichstraße über Martin-Gropius-Bau und Potsdamer Platz zum Kulturforum. Der Potsdamer Platz liegt in der Mitte, er gefällt, und alle gehen hin. Man kauft in den Potsdamer Platz Arcaden ein, lässt sich in die Sessel des IMAX-Kinos sinken, riskiert ein paar Euros beim Roulette in der Spielbank, trinkt ein Weißbier im Lindenbräu, besucht mit den Kindern das **Legoland Discovery Centre** oder genießt den Ausblick vom Panoramapunkt im Kollhoff-Tower.

It's a Sony

Sony, der Weltkonzern, beglückt Berlin nicht nur mit einem spektakulären Zeltdach des amerikanischen Stararchitekten Helmut Jahn, sondern auch mit dem **Sony Entertainment Center** (www.sonycenter.de) und dem Filmhaus, das unter einem Dach die **Deutsche Kinemathek – Museum für Film und Fernse-**

Potsdamer Platz SPECIAL

hen, die **Deutsche Film- und Fernsehakademie** und das Filmkunstkino **Arsenal** vereint.

- **CineStar IMAX** [G3]
  Sony Center | Potsdamer Str. 4 | 10785
  Tel. 26 06 64 00
  www.cinestar.de
- **Legoland Discovery Centre** [G3]
  Sony Center | Potsdamer Str. 4 | 10785
  Tel. 018 06-66 69 01 10
  tgl. 10–19 Uhr (letzter Einlass um 17 Uhr)
- **Deutsche Kinemathek – Museum für Film und Fernsehen** [G3]
  Ein Muss für Fans ist die Marlene-Dietrich-Kollektion des Museums mit privaten Filmaufnahmen.
  Potsdamer Str. 2 | 10785
  Tel. 300 90 30
  www.deutsche-kinemathek.de
  Di–So 10–18, Do bis 20 Uhr
  Eintritt 7 €, erm. 4,50 €, Schüler 2 €

Da kommt Daimler

Nicht nur das Sony, auch das Daimler Center hat Besuchern einiges zu bieten. So z.B die Aussichtsplattform **Panoramapunkt** auf der 24./25. Etage des Kollhoff-Gebäudes › S. 112 und auch die ❗ Daimler Contemporary im Haus Huth, die vor allem abstrakte und minimalistische Kunst des 20. Jhs. präsentiert (Alte Potsdamer Str. 5, 10785, www.sammlung.daimler.com, tgl. 11 bis 18 Uhr, Eintritt frei).

Kunst-Szene

- Dem genialen spanischen Surrealisten **Salvador Dalí** ist eine **Dauerausstellung** mit rund 450 Exponaten gewidmet. **50 Dinge** (25) › S. 15.
  Am Leipziger Platz 7 | 10117
  Tel. 0700-32 54 23 75 46
  www.daliberlin.de | Mo–Sa 12–20,
  So 10–20 Uhr, Eintritt 11 €, erm. 9 €

Gastro-Szene

- Das **Lindenbräu** €–€€ [G3] im Sony Center rühmt sich der nördlichsten Weißbierbrauerei der Welt.
  Bellevuestr. 3–5 | Tel. 25 75 12 80
  www.linden-hopfinger-braeu.de
  tgl. ab 11.30 Uhr
- Gut für schnelle Pizza und Pasta ist das **Vapiano**. €–€€ [G4]
  Potsdamer Platz 5 | Tel. 23 00 50 05
  www.vapiano.de
  Mo–Sa 10–1, So 10–24 Uhr
- Im **Weilands Wellfood** €€ [G4] kommt gesunde und schmackhafte eurasische Bio-Küche auf den Tisch.
  Marlene-Dietrich-Platz 1
  Tel. 25 89 97 17 | Mo–Sa 10–21 Uhr
- Kulinarische Spitzenreiter am Platz sind das **Facil** €€€ [G4] im Hotel The Mandala mit mediterraner Gourmet-Küche. Potsdamer Str. 3 | Tel. 590 05 12 34 | www.facil.de | Mo–Fr mittags und abends) und mit einem Michelin-Stern ausgezeichnet sowie das **Vox** €€€ [G4] im Grand Hyatt. Marlene-Dietrich-Platz 2 | Tel. 25 53 17 72 | www.vox-restaurant.de
  So–Mi 12–1, Do–Sa 12–3 Uhr
- Ebenfalls im Hotel The Mandala ist das **Qiu** eine schöne Lounge für abends (tgl. 12–24 Uhr).
- Ein Stück Frankreich in Berlin ist das **Desbrosses** €€ [G3] im Ritz-Carlton. Küchenchef Martin Lisson serviert saisonale wie ebenso herrlich französische Küche. Potsdamer Platz 3
  Tel. 337 77 63 41 | Mo–Sa 6.30–23, So 6.30–15.30, 18–23 Uhr

Der große Saal in der Philharmonie

Den besten Überblick hat man vom Panoramapunkt in der 24./25. Etage des **Kollhoff-Towers** in 100 m Höhe (Eingang Alte Potsdamer Straße, 10785, tgl. 10–20 Uhr, im Winter kürzer, 6,50 €, erm. 5 €, bis 5 J. frei). »Faîtes votre jeu!« heißt es täglich ab 11 Uhr auf den vier Etagen der **Spielbank Berlin** (Marlene-Dietrich-Platz 1, 10785, Tel. 25 59 90, www.spielbank-berlin.de, Casino Royal ab 15 Uhr). Im benachbarten **Theater am Potsdamer Platz** finden im Februar die Premieren der Wettbewerbsfilme der Berlinale statt, dann heißt das Gebäude für zwei Wochen Berlinale-Palast (www.berlinale.de). Den Rest des Jahres dient das Theater als Musicalbühne (Marlene-Dietrich-Platz 1, 10785, Tel. 018 05/ 44 44, www.stage-entertainment.de).

Kulturforum [F3–F4–G3]

Das Kulturforum war wegen seiner Weitläufigkeit und Nüchternheit immer umstritten, der hohe Rang der hier verwahrten Kunstschätze steht jedoch außer Zweifel. Die Idee zum Kulturforum am Kemperplatz stammt aus den 1960er-Jahren, als man ein Pendant zur Museumsinsel im Ostteil der Stadt schaffen wollte. Den Anfang machte die Neue Nationalgalerie, erbaut 1963–68. Die Einrichtung wuchs, 1995 wurde die Kunstbibliothek eröffnet, 1998 die Gemäldegalerie.

Musikinstrumenten-Museum 16 [G3]

Die Besichtigung des Kulturforums beginnt man beispielsweise in der Tiergartenstraße am Musikinstrumenten-Museum. Die Ausstellung historischer, aber auch neuerer Instrumente ging aus den Sammlungen der 1888 gegründeten Musikhochschule hervor. Mit rund 3200 Exponaten ist es eine der größten Kollektionen dieser Art. Bei Führungen darf man sich auf akustische Kostproben freuen. Ein Hit ist die Wurlitzer-Orgel, eine alte Kinoorgel, die über mehrere Etagen geht (Tiergartenstr. 1, 10785, Tel. 25 48 10, www.sim.spk-berlin.de, Di, Mi, Fr 9–17 Uhr, Do 9–20 Uhr,

Karte S. 104 Tour 6: Rund um den Potsdamer Platz **Rund um den Tiergarten**

Sa/So 10–17 Uhr, Führungen Do 18 Uhr und Sa 11 Uhr, dann mit Vorführung der Wurlitzer-Orgel um 12 Uhr, Eintritt 6 €, erm. 3 €).

Philharmonie und Kammermusiksaal 17 ★ [F3–G3]

Wie die große Staatsbibliothek an der Potsdamer Straße schräg gegenüber, so hat auch das Musikinstrumentenmuseum Ähnlichkeit mit dem frei geformten Baukörper der **Philharmonie**, den Hans Scharoun in den 1960er-Jahren verwirklichte. Der Architekt wollte den rechten Winkel vermeiden und mit seiner anthroposophisch orientierten Bauweise das organische Wachstum der Natur nachahmen. Wenn die Abendsonne über dem Platz steht, schimmert die Aluminiumfassade des Gebäudes golden – ein unvergleichlicher Anblick. Im Inneren sind die Publikumsränge im Kreis um das Orchester herum gruppiert.

Neben der Philharmonie entstand nach dem gleichen Grundsatz Scharouns 20 Jahre später mit einer hervorragenden Akustik der **Kammermusiksaal**. Sein Grundriss besteht aus Sechsecken (Herbert-von-Karajan-Str. 1, 10785, Tel. 254 88-0, www.berliner-philharmoniker.de).

Kunstgewerbemuseum 18 [F3]

Wie ein großer Block erhebt sich der Stahlskelettbau mit vorgeblendeter Ziegelfassade am Matthäikirchplatz, der 1985 unter Leitung von Rolf Gutbrod errichtet wurde. In den Räumen bekommt man einen Überblick über die Entwurfs- und Objektkunst – Goldarbeiten, Textilien, Gemälde, Porzellan, Gläser und Möbel – vom Mittelalter bis zur Gegenwart. Glanzstücke sind das Lüneburger Ratssilber und der Welfenschatz aus dem Braunschweiger Dom. Zudem ist eine Modegalerie mit Kostümen und Accessoires vom 18. bis zum 20. Jh. zu sehen (Matthäikirchplatz, 10785, www.smb.museum/).

SEITENBLICK

Die Berliner Philharmoniker

Die Philharmonie ist der Konzertsaal des Berliner Philharmonischen Orchesters. Das 1882 gegründete Ensemble ist über die Jahrzehnte zu einem Aushängeschild für die Exklusivität der Berliner Musikszene geworden. Das Orchester mit seinem warmen Klangtimbre wird nicht nur von Kritikern hoch gelobt. Auch die Berliner lieben »ihre« Philharmoniker, nicht zuletzt wegen ihrer Unkonventionalität.

Intern verfügen die Berliner Philharmoniker über eine starke demokratische Selbstverwaltung. Maßgebliche Entscheidungen treffen der Vorstand und der so genannte Fünferrat. 1989 wählten die Mitglieder Claudio Abbado zum Chefdirigenten und künstlerischen Leiter. Der Mailänder führte Orchester wie Zuhörer zu neuen Ufern zeitgenössischer Musik. Sein Nachfolger (seit 2001/2002), der Engländer Sir Simon Rattle, hat wie seine Vorgänger mit den Philharmonikern zahlreiche Aufnahmen produziert (www.berliner-philharmoniker.de).

Kupferstichkabinett 19 [F4]

Das Kupferstichkabinett, das gegenüber liegt, präsentiert seit 1994 110 000 Zeichnungen, Aquarelle, Gouachen und Pastelle sowie über 500 000 graphische Blätter vom Spätmittelalter bis in die Neuzeit. Mit dieser Einrichtung, die nun die Abteilungen aus Ost und West vereint, wurde Berlin – neben London und Paris – zu einem der führenden Studienorte für graphische Künste. Im Neubau ist auch die **Kunstbibliothek** mit Schwerpunkt europäische Grafik untergebracht. (Matthäikirchplatz, 10785, Tel. 266 42 42 42, www.smb.museum/, Di-Fr 10 bis 18 Uhr, Sa/So 11-18 Uhr).

Restaurants
- In der Eingangshalle zwischen Gemäldegalerie und Kupferstichkabinett kann man sich in einer **Cafeteria** stärken – im Sommer auch draußen.
- Im Musikinstrumentenmuseum serviert das **SIM-Café** kleine Gerichte.

Gemäldegalerie 20 ⭐ [F4]

Glanzlicht des Kulturforums ist die Gemäldegalerie. Der moderne Kubus, der an der Sigismundstraße eine alte Tiergartenvilla einbezieht, stammt von den Architekten Heinz Hilmer und Christoph Sattler. Hier wurden nach jahrzehntelanger Trennung die Bestände des Dahlemer und des Bodemuseums in glanzvollem Rahmen wieder vereint. Die Gemäldesammlung von Weltrang bietet mit rund 1400 Werken einen Querschnitt durch die Entwicklung der europäischen Malerei vom 13. bis zum 18. Jh. (Eingang am Matthäikirchplatz, Tel. 266 42 42 42, www.smb.museum/, Di, Mi, Fr 10-18, Do 10-20, Sa/So 11-18 Uhr, Eintritt 10 €, erm. 5 €).

Neue Nationalgalerie 21 ⭐ [F4]

Das 1968 von Ludwig Mies van der Rohe erbaute Gebäude besteht komplett aus Stahl und Glas und orientiert sich an der Grundstruktur eines griechischen Tempels. So vermittelt die lichtdurchflutete Halle ein besonderes Raumerlebnis. Das Museum zeigt v. a. europäische Malerei und Plastik des 20. Jhs. mit Werken des Expressionismus (u. a. Kirchner, Schmidt-Rottluff), »Bauhaus« (u. a. Feininger, Klee), »Neue Sachlichkeit« (u. a. Dix, Grosz) bis zur Kunst der 1960er-Jahre – Frank Stella, Ellsworth Kelly (www.smb.museum/, Tel. 266 42 30 40, Di, Mi, Fr 10-18, Do 10-22, Sa/So 11 bis 18 Uhr).

Shopping
Ave Maria [F4]
Der kitschig bunte Shop südlich des Kulturforums ist der Platzhirsch unter den Devotionalienläden.
- Potsdamer Str. 75 | 10785
  Tel. 265 22 84
  Mo-Fr 12-18, Sa 12-15 Uhr

Gedenkstätte Deutscher Widerstand 22 [F4]

Mit einem bedrückenden Thema der deutschen Vergangenheit konfrontiert die Gedenkstätte Deutscher Widerstand. Die ständige Ausstellung im so genannten Bend-

Karte S. 104   Tour 6: Rund um den Potsdamer Platz   **Rund um den Tiergarten**

lerblock informiert umfassend über die verschiedenen Gruppen des Widerstands gegen den Nationalsozialismus. Das schlichte Ehrenmal im Hof des ehemaligen Oberkommandos der Wehrmacht erinnert an die Opfer des gescheiterten Attentats auf Hitler vom 20. Juli 1944 (Stauffenbergstr. 13/14, 10785, Tel. 26 99 50 00, www.gdw-berlin.de, Mo–Mi, Fr 9–18 Uhr, Do 9–20 Uhr, Sa/So 10–18 Uhr, kostenlose Führung So 15 Uhr).

Botschaftsviertel [F3–F4]

Weitere Spuren aus jener Zeit finden sich im alten und neuen Botschaftsviertel. In der reizvollen Gegend haben sich seit jeher ausländische Vertretungen in feudalen Villen niedergelassen. Albert Speer, der Generalbauinspektor im Dritten Reich, ließ 1938 die Villen von Aristokratie und Hochfinanz abreißen, um an ihrer Stelle moderne Gebäude für Botschaften und Konsulate erbauen zu lassen, auch einige Landesvertretungen der Bundesländer sind hier entstanden.

Ein eindrucksvolles Beispiel stellt die **Italienische Botschaft** (Hiroshimastr. 1) mit ihrer Front im Renaissancestil verkleidet mit römischem Travertin, dar. Gleich daneben residiert im feudal anmutenden Japanisch-Deutschen Zentrum die **Japanische Botschaft,** die um den erhaltenen Kanzleitrakt aus den 1930er-Jahren neu aufgebaut wurde (Hiroshimastr. 6). Einen modernen Kontrast dazu bilden z.B die **Österreichische Botschaft** (Stauffenbergstr. 1) mit ihren drei in Farbe und Form verschieden gestalteten Flügeln sowie der Komplex der **Nordischen Botschaften** (Rauchstr. 1), eine Komposition verschiedener Baumaterialien, umschlossen von einem Kupferband.

Bauhaus-Archiv 23 [E4–F4]

Bauhaus-Gründer Walter Gropius schuf das 1979 fertiggestellte Gebäude. Es beherbergt eine einzigartige Sammlung von Designobjekten, Zeichnungen und Fotografien, Architekturmodellen und -plänen aus der Zeit des Bauhauses 1919 bis zu seiner Schließung 1933. Hinzu kommen wechselnde Sonderausstellungen von internationalem Ruf (Klingelhöfer Str. 14, 10785, Tel. 254 00 20, www.bauhaus.de, Mi bis Mo 10–17 Uhr, Eintritt 6–7 €, erm. 3–4 €).

Die Neue Nationalgalerie rechts im Bild

DIE CITY-WEST

Kleine Inspiration

- **Den Kurfürstendamm** vom gleichnamigen U-Bahnhof bis zum Adenauerplatz entlangbummeln und ausgiebig shoppen › S. 118
- **In der Vagantenbühne** im Delphi-Haus einem Stück der Gegenwartsdramatik frönen › S. 120
- **Im Museum für Fotografie** Newtons ästhetischen Schnappschüssen Bewunderung zollen › S. 121
- **In der Gipsformerei** eine Gipskopie aus 7000 Vorlagen aussuchen und für zu Hause erwerben › S. 127

Tour 7 | 8 City West

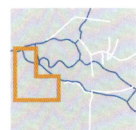

Rund um den Ku'damm kann man vor allem shoppen und bummeln. Auch das Schloss Charlottenburg und zahlreiche Museen in seiner Umgebung lohnen einen Besuch.

Die westliche Innenstadt wird aus den Ortsteilen **Wilmersdorf**, **Charlottenburg**, **Schöneberg** und **Tiergarten** gebildet. Mittelpunkt der City-West sind Tauentzien und Kurfürstendamm. Bekannt sind auch Gedächtniskirche, Bahnhof Zoo oder das Theater des Westens.

Nach wie vor ist der **Kurfürstendamm** der größte und vielseitigste Einkaufsboulevard der Stadt. Beim Flanieren sollte man hin und wieder Abstecher in die Seitenstraßen machen, denn auch dort locken schicke Boutiquen, gut sortierte Buchläden, gemütliche Cafés und verrückte Schnickschnack-Shops.

Dabei kommt auch die Kultur nicht zu kurz: Namhafte Galerien, Auktionshäuser, Museen und Kirchen liegen am Weg. Pflicht ist natürlich ein Besuch des **KaDeWe** und besonders der Lebensmittel- oder eigentlich besser der Feinschmeckerabteilung. Und natürlich ist der Ku'damm auch immer noch eine Gegend zum Ausgehen mit zahlreichen Restaurants und Bars sowie Kinos und Theatern.

Aber die West-City bietet weitaus mehr als Shopping und nächtliches Vergnügen. Im und am **Schloss Charlottenburg** ist Kultur der internationalen Spitzenklasse angesiedelt. Schloss Charlottenburg und Umgebung sind für Kunstliebhaber ein ganz besonderes Vergnügen.

Nachdem man sich Gemälde französischer Meister des 18. Jhs. im neuen Flügel angeschaut hat, kann man im Schlosspark die dicken Karpfen füttern oder sich im Restaurant »Kleine Orangerie« bei einem Kaffee entspannen.

Um sich danach frisch gestärkt ganz der modernen Kunst im **Museum Berggruen** und der **Sammlung Scharf-Gerstenberg** zu widmen.

Oben: Im KaDeWe
Links: Diese Skulptur am Wittenbergplatz symbolisiert die einstige Teilung der Stadt

Touren in der West-City

Bummel über den Kurfürstendamm

Verlauf: Schaubühne › Theater des Westens › Käthe-Kollwitz-Museum › Kaiser-Wilhelm-Gedächtniskirche › Kaufhaus des Westens

Karte: Seite 121
Dauer: 4–6 Stunden
Praktischer Hinweis:
- Die Tour beginnt am U-Bahnhof Adenauerplatz Ⓤ 7 und endet am U-Bahnhof Wittenbergplatz Ⓤ 1, Ⓤ 2, Ⓤ 3.

Tour Start:

Der 53 m breite Prachtboulevard diente ursprünglich als unbefestigter Verbindungsweg zwischen Berlin und dem Jagdschloss Grunewald, den Kurfürst Joachim II. Hektor zur Mitte des 16. Jhs. durch den märkischen Sand anlegen ließ. In der Kaiserzeit entwickelte sich der Ku'damm, wie die Berliner sagen, zu einer beliebten und vornehmen Adresse, an der Reiche und Prominente ihre Häuser errichten ließen und Luxusgeschäfte ihre Auslagen darboten. Die Bomben des Zweiten Weltkriegs rissen große Lücken in die Nobelbebauung.

Um die City West aufzupolieren, wurde der Ku'damm, genauer gesagt der Tauentzien bis zum Wittenbergplatz, durch eine neue Mittelpromenade verschönert. Im aufwendig restaurierten **Haus Cumberland** ★ (Nr. 193–194, 10707), das vor einem Jahrhundert vom alten Hotel Adlon-Architekten Robert Leibnitz entworfen wurde, ist mit dem Grosz ein schönes urbanes Café-Restaurant entstanden. In Planung bzw. in der Realisierung sind verschiedene Bauprojekte in der Umgebung, so der Umbau des »Bikini-Hauses«, einem unattraktiven Gebäuderiegel in das neue **Bikini Berlin**. Darin integriert ist das Kino Zoo Palast und Geschäfte, Restaurants, Cafés und ein Designhotel, das 25hours (bikiniberlin.de). **50 Dinge** ㉑ › S. 14.

Schräg gegenüber wurde 2013 das Hotel Waldorf Astoria eröffnet › S. 33.

Schaubühne 1 ★ [B5]

Knapp 20 Jahre nach ihrer Gründung zog die Schaubühne 1981 vom Halleschen Ufer in Kreuzberg an den Lehniner Platz. Seitdem residiert das Theater in dem 1928 von Erich Mendelsohn als »Universum-Kino« errichteten U-förmigen Gebäude. Seine besten Zeiten hatte es unter der Leitung von Peter Stein, bis 1985 Chefregisseur eines Starensembles. 2000 erfolgte eine komplette Neubesetzung um die Choreografin Sasha Waltz und den Regisseur Thomas Ostermeier. Frau Waltz hat das Haus zwar verlassen, aber ihre Choreografien sind weiterhin zu sehen. Zur Aufführung kommen Tanztheater und zeitgenös-

Tour 7: Bummel über den Kurfürstendamm **City West**

sische Autoren, im März findet das »Festival Neue Dramatik« statt (Kurfürstendamm 153, 10709, Tel. 89 00 23, www.schaubuehne.de).

Rund um den Olivaer Platz 2 [C4–C5]

Hier erreicht man den etwas ruhigeren Teil des Ku'damms, die Geschäfte sind exklusiv und teuer. Kaufanreize für pralle Geldbeutel gibt es genug. Einen Abstecher wert: Seitenstraßen wie die Schlüter-, Bleibtreu- und Knesebeckstraße mit prächtigen Jugendstil- und Gründerzeithäusern.

Restaurants

La Mano Verde €€€ [D4]
Veganes Restaurant mit gehobener Küche. Viele Gerichte sind glutenfrei oder leckere Rohkost-Kreationen.
- Uhlandstr. 181 | 10623 Charlottenburg | Tel. 82 70 31 20 Mo–Sa 12–15.30, 18–23 Uhr

Enoteca il Calice €€–€€€ 1 [C4]
Groß und nobel ist dieses Restaurant mit Vinothek, das gehobene italienische Küche und erlesene Weine serviert.
- Walter-Benjamin-Platz 4 | 10629 Charlottenburg | Tel. 324 23 08 www.enoteca-il-calice.de Mo–Sa 12–2 Uhr

Ku'damm-Karree 3 [D4]

Auf vier Etagen des Hochhauses am Ku'damm-Karree, in dem auch die Boulevardtheater »Komödie« und »Theater am Kurfürstendamm« ihr Domizil haben, breitet ein privat geführtes Museum The Story of Berlin aus. Höhepunkt ist der Atombunker unter dem Ku'damm, während man aus dem 14. Stock die Aussicht genießt (Kurfürstendamm 207/208, 10719, Tel. 88 72 01 00, tgl. 10 bis 20 Uhr, 12 €, erm. 9 €, 6–16 J. 5 €).

Savignyplatz 4 [C4–D4]

Ein Gang entlang der Knesebeckstraße führt zum Savignyplatz, einem belebten Stadtplatz, besonders attraktiv für Bücherfreunde und Anhänger des guten Essens. Der Maler und Grafiker George Grosz wohnte hier nach der Rückkehr aus dem Exil. In der **Savigny-Passage** sind in den S-Bahnbögen Buchläden und Restaurants untergebracht.

Restaurant

Nur eine S-Bahnstation ist es vom Savignyplatz zur Wilmersdorfer Straße. In Régis Lamazères **Brasserie Lamazère** [B4] isst man wie in Frankreich.
- Stuttgarter Platz 18 | 10627 Tel. 31 80 07 12 | www.lamazere.de Di–So 18–2 Uhr

SEITENBLICK

Garten für alle

Bei schönem Wetter lädt der **Savignyplatz** zum Verweilen ein. Auf dem unter Denkmalschutz stehenden Fleckchen Wiese herrscht immer eine nette Atmosphäre. 1861 legte die Stadt hier einen steifen Schmuckplatz an. Betreten war streng verboten! 1912 setzte Berlins fähiger Gartendirektor Erwin Barth seine reformerischen Ideen von einem »festlichfrohen Garten für alle sozialen Schichten« in die Tat um.

Das Theater des Westens

Shopping

Revanche de la femme [D5]
Extravagante Korsagen – nur Unikate.
- Uhlandstr. 50 | 10719 | Charlottenburg
  Tel. 85 10 38 78
  Mo–Fr 11–19, Sa 11–15 Uhr

Küchenladen [D4]
Führt von der Bratpfanne bis zum edlen Trüffelhobel alles für Köche.
- Knesebeckstr. 26 | 10623
  Charlottenburg | Tel. 881 39 08
  Mo–Fr 11–19, Sa 10–18 Uhr

Viniculture [D4]
Der Inhaber hat sich auf Bio- und naturbelassene Weine spezialisiert – klasse.
- Grolmanstraße 44–45 | 10623
  Charlottenburg | Tel. 883 81 74
  Mo–Fr 11–20, Sa 10–18 Uhr

Theater des Westens 5 [D4]

Die Kantstraße hinunter Richtung Bahnhof Zoo kommt man am Theater des Westens, Berlins bekanntester Musicalbühne, vorbei, in der über Wochen immer nur ein Stück läuft. Das auffällige Gebäude wurde 1896 im kurvenreichen Stil der Belle Époque erbaut (Kantstr. 12, 10623, Karten-Tel. 018 05-44 44).

Die **Vagantenbühne** nebenan im Delphi-Haus ist ein ausgezeichneter Tipp für Gegenwartsdramatiker (Kanstr. 12A, 10623, Tel. 312 45 29, www.vaganten.de).

SEITENBLICK

Rund um den Zoo [D4]
Das Kino **Zoo Palast** (Hardenbergstr. 29a) wurde komplett renoviert und Ende 2013 wiedereröffnet. Das benachbarte **Bikini Berlin** (Hardenbergplatz 2), ein Gebäuderiegel aus den 1950er-Jahren, präsentiert sich seit dem Frühjahr 2014 als »Concept Mall« mit Boutiquen, Flagshipstores und dem **Designhotel 25hours** (Budapester Str. 40, 10787). Das Mitte der 1990er-Jahre erbaute **Amerika Haus** wird nach einem Umbau nun von der Fotogalerie **C/O Berlin** bezogen und als neuer Kulturstandort etabliert (Hardenbergstr. 22–24).

Karte S. 121

Tour 7: Bummel über den Kurfürstendamm **City West**

Museum für Fotografie 6 ⭐ [D4]

Hinter dem Bahnhof Zoologischer Garten sind Werke des verstorbenen Starfotografen Helmut Newton in Wechselausstellungen zu bewundern (Jebenstr. 2, 10623, Tel. 266 42 42 42, www.smb.museum/, Di, Mi, Fr 10–18, Do bis 20 Uhr, Sa/So 11–18 Uhr, 10 €, erm. 5 €).

Entlang der Fasanenstraße [D4]

Nördlich des Ku'damm steht in der Fasanenstraße 79/80 das ständig bewachte **Jüdische Gemeindehaus** 7. Es wurde 1957–59 an der Stelle der von den Nazis verwüsteten Synagoge errichtet. Dabei bezogen die Architekten das Portal des alten Gebäudes in den Neubau mit ein (10623, www.jg-berlin.org).

In jüdischem Familienbesitz war ursprünglich auch das **Kempinski Hotel Bristol Berlin** 8 an der Ecke zum Ku'damm, bis es 1937 »in arischen Besitz überführt« und die rechtmäßigen Besitzer enteignet wurden. Eine Gedenktafel am Eingang erinnert an die Geschichte während des Nationalsozialismus (10719, www.kempinski-berlin.de).

In der Fasanenstraße Nr. 24 hat das **Käthe-Kollwitz-Museum** 9 seinen Sitz. Die kleine Ausstellung in dem spätklassizistischen Palais zeigt Zeichnungen, graphische Blätter und Skulpturen der sozial engagierten Künstlerin, die viele Jahre zurückgezogen in Prenzlauer Berg lebte und arbeitete (Fasanenstr. 24, 10719, Tel. 882 52 10, www.kaethe-kollwitz.de, tgl. 11–18 Uhr, 6 €, erm. 3 €).

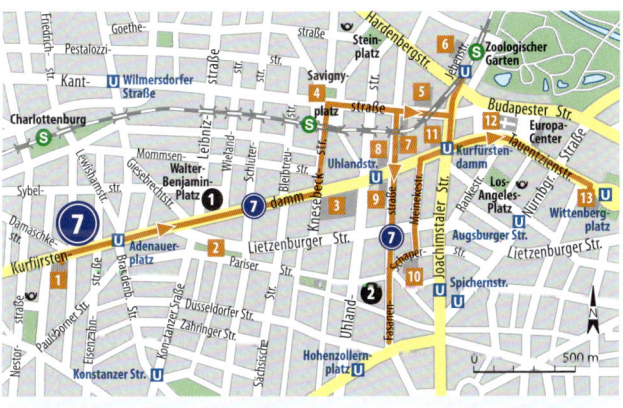

Tour durch die City West

Tour 7

Bummel über den Kurfürstendamm

1 Schaubühne
2 Olivaer Platz
3 Ku'damm-Karree
4 Savignyplatz
5 Theater des Westens
6 Museum für Fotografie
7 Jüdisches Gemeindehaus
8 Kempinski Hotel Bristol
9 Käthe-Kollwitz-Museum
10 Haus der Berl. Festspiele
11 Neues Kranzler Eck
12 Kaiser-Wilhelm-Gedächtniskirche
13 Kaufhaus des Westens

City West Tour 7: Bummel über den Kürfürstendamm Karte S. 121

Die benachbarte Gründerzeitvilla (Nr. 23) ist Sitz des **Literaturhauses**. Hier findet man eine Buchhandlung und das Café im Literaturhaus (10719, www.literaturhaus-berlin.de, tgl. 9.30–24 Uhr).

Das Hotel **Savoy** mit Zigarrenlounge und dem Restaurant **Weinrot**, in dem zusammen mit dem **A-Trane** montags zum Jazz-Dinner geladen wird, befindet sich in der Nr. 9–10 (10623, Tel. 311 02-0).

Zwischenstopp: Restaurant

Der junge Patissier Nico Müller serviert in seinem schönen Café **Nicos Süßes Atelier** € ❷ [D5] hohe Konditorkunst.
- Fasanenstr. 42 | 10719 Charlottenburg | Tel. 88 77 46 88 Di–Sa 10–18, So 11–17 Uhr

Haus der Berliner Festspiele 🔟 ⭐ [D5]

Die Berliner Festspiele sind 2001 in das Haus der früheren Freien Volksbühne eingezogen, wo nun Musik-, Theater- und Literaturveranstaltungen stattfinden (Schaperstr. 24, 10719, Tel. 254 89-0, www.berlinerfestspiele.de).

Neues Kranzler Eck 11️⃣ [D4]

Das traditionsreiche Café Kranzler (Ku'damm/Ecke Joachimstaler Str.) musste 2000 dem Neuen Kranzler Eck mit Shops und Büros weichen. Die denkmalgeschützte Fassade bewahrte das alte Kranzler vor dem Abriss. Das neue **Café Kranzler** (Ku,-damm 18, 10719, Tel. 887 18 39 25, tgl. 8.30–20 Uhr) versprüht nicht mehr den gewohnten Charme.

Kaiser-Wilhelm-Gedächtniskirche 12 ⭐ [D4]

Der neuromanische Bau (1891–95) wurde im Zweiten Weltkrieg ausgebombt. Proteste der Bevölkerung verhinderten den Abriss der Ruine. Egon Eiermann errichtete daneben 1961–63 den sechseckigen Glockenturm und den achteckigen Hauptbau der neuen Kirche. Die Ruine dient als Museum und Mahnhalle (Breitscheidplatz, 10789, tgl. 9 bis 19 Uhr).

Kaufhaus des Westens (KaDeWe) 13 ⭐ [E4]

Mit einem Bummel durch das »KaDeWe«, das wohl berühmteste Kaufhaus Berlins, können Sie den Besichtigungstag abschließen. Das Angebot ist unermesslich, die Feinkostabteilung im 6. Stock legendär (Tauentzienstr. 21-24, 10789, www.kadewe.de, Mo–Do 10–20, Fr 10 bis 21, Sa 9.30–20 Uhr).

Tour 8 Rund ums Schloss Charlottenburg

Verlauf: Schloss Charlottenburg › Gipsformerei › Mus. Berggruen › Bröhan-Museum › Samml. Scharf-Gerstenberg › Keramik-Museum

Karte: Seite 124
Dauer: 1 Tag (inklusive Museumsbesuche)
Praktische Hinweise:
- Das Schloss (Spandauer Damm 20 bis 24, 14059) ist am besten mit

Karte S. 124

Tour 8: Rund ums Schloss Charlottenburg **City West**

Mitteltrakt des Charlottenburger Schlosses

den Buslinien 109, M 45 und 309, alternativ mit den S-Bahnlinien Ⓢ 41, Ⓢ 42 und Ⓢ 46 (Bahnhof Westend) zu erreichen. Per U-Bahn: die Ⓤ 2 bis Sophie-Charlotte-Platz oder die Ⓤ 7 bis Richard-Wagner-Platz.

• Vom Keramik-Museum ist es nicht weit zur Ⓤ 7 Richard-Wagner-Platz.

Tour-Start:
Schloss Charlottenburg 14 10 [B2]

Das glanzvollste der Berliner Hohenzollernschlösser ist ein Jahrhundertwerk, das in mehreren Bauetappen entstand: Alles begann damit, dass die Ehe zwischen Kurfürst Friedrich III. und seiner Gemahlin Sophie Charlotte ohne nennenswerte Gemeinsamkeiten verlief. Während der Herrscher militärischen Übungen nachging, pflegte seine Angetraute die gebildete Unterhaltung mit Leibniz oder lernte Französisch und Italienisch. Damit Sophie Charlotte ihr Leben nach ihrer Fasson führen konnte, ließ sie sich in dem damals noch ländlichen Örtchen Lietzow das Sommerschlösschen Lietzenburg bauen.

1695 begann Johann Arnold Nering den Mittelbau, der 1699 – noch ohne Turm – fertig gestellt wurde. Nachdem sich der Kurfürst 1701 zum ersten preußischen König gekrönt hatte, erteilte er dem schwedischen Architekten Johann Friedrich Eosander von Göthe den Auftrag zu dem 48 m hohen Kuppelaufsatz, den beiden Seitenflügeln und der Großen Orangerie im Westen.

Erst nach dem frühen Tod der Königin im Jahr 1705 erhielt die

Anlage ihren heutigen Namen. Bis das Schloss Sanssouci in Potsdam vollendet war, wohnte auch Friedrich der Große gern hier, denn er hegte eine große Verehrung für seine Großmutter Sophie Charlotte.

In dieser Zeit ergänzte auch sein Architekt Georg Wenzeslaus von Knobelsdorff den Komplex um den lang gestreckten Neuen Flügel. Ihren Abschluss fand die Baugeschichte durch Friedrich Wilhelm II., der 1788 die Errichtung des Schlosstheaters durch Carl Gotthard Langhans veranlasste. 1943 wurde Charlottenburg bei einem Luftangriff so schwer beschädigt, dass man im Begriff war, die

Tour durch die City West

Tour ⑧

Rund ums Schloss Charlottenburg

⑭ Schloss Charlottenburg
⑮ Gipsformerei
⑯ Museum Berggruen
⑰ Bröhan-Museum
⑱ Sammlung Scharf-Gerstenberg
⑲ Keramik-Museum Berlin

Karte S. 124

Tour 8: Rund ums Schloss Charlottenburg **City West**

Ruine zu sprengen, aber die damalige Schlösserdirektorin Margarete Kühn setzte sich für den Wiederaufbau ein. Die vergoldete Wetterfahne kam erst 1952 während des Wiederaufbaus auf die Kuppelspitze (Spandauer Damm 20–24, 14059, Tel. 03 31-969 42 00, www.spsg.de; Altes Schloss, historische Räume im Winter Di–So 10–17, im Sommer 10–18 Uhr geöffnet, der Neue Flügel ist bis Weihnachten 2014 wegen Sanierungsarbeiten geschlossen.

Historische Räume

Die **Räume** im Mitteltrakt und im rechten Seitenflügel wurden in ihren alten Formen und Farben wiederhergestellt und können fast alle besichtigt werden. Die **Wohnräume Friedrichs I. und Sophie Charlottes** kann man durchschreiten und deren Kunstschätze, vor allem die chinesischen Möbel und Gemälde, u. a. von Caspar David Friedrich, bewundern. Was für exzessive Blüten die Chinaliebe der Kurfürstin treiben konnte, zeigt sich im **Porzellankabinett.** Um die Wirkung des fernöstlichen Geschirrs zu steigern, ließ der Kurfürst die Sammlung durch Wandspiegel optisch vervielfältigen.

Neuer Flügel

Dieser Flügel, nach seinem Architekten auch Knobelsdorff-Flügel genannt, birgt im Obergeschoss die schönsten Räume, die das preußische Rokoko hervorgebracht hat: die erlesen ausgestalteten Gemächer Friedrichs des Großen mit dem Konzertzimmer und dem Weißen Saal, der dem Monarchen als Speise- und Thronsaal diente. Für seine Tabakdosensammlung gab der Alte ein Vermögen aus. Eine Dose mit Einschussloch ist auch dabei. Sie soll Friedrich im Siebenjährigen Krieg das Leben gerettet haben. Der königlichen Sammelleidenschaft ist es zu verdanken, dass hier mit acht Werken Watteaus eine Kollektion des Rokokomalers zu sehen ist.

Im ersten Stock liegt die **Goldene Galerie,** ein lichtdurchfluteter Festsaal, in sanftes Grün und Gold getaucht. Nach mehrjähriger Abwesenheit ist das berühmte Doppelstandbild der Prinzessinnen Luise und Friederike von Preußen wieder im Vestibül des Neuen Flügels zu sehen.

Neuer Pavillon

Seit Ende 2011 ist das Juwel aus der Schinkelzeit – Karl Friedrich Schinkel erbaute das zweigeschossige

SEITENBLICK

Versunkener Schatz

Nicht nur die Residenz, auch das **Reiterstandbild des Großen Kurfürsten** im Ehrenhof von Charlottenburg hat eine aufregende Geschichte: Seit seiner Entstehung im Jahr 1700 war es in der Nähe des Stadtschlosses aufgestellt.

Nach der Auslagerung im Zweiten Weltkrieg ging der Lastkahn mit dem schweren Koloss 1946 bei einer Havarie im Tegeler Hafen unter. Erst drei Jahre später konnte das Denkmal wieder geborgen werden. Im Ehrenhof fand das Denkmal 1951 seinen neuen Standort.

Das Mausoleum von Königin Luise

Sommerhaus 1824 im Auftrag von Friedrich Wilhelm III. – wieder für Besucher zugänglich. Friedrich Wilhelm III. ließ ihn 1824 von Schinkel für sich und seine zweite Gemahlin, die Fürstin Liegnitz, als Sommerwohnsitz errichten. Der anmutige Bau hat die neapolitanische Villa Chiatamone zum Vorbild (Di–So 10–17, Sommer bis 18 Uhr).

Der Schlosspark

Im vorderen Teil des großen Parks geben schön getrimmte Buchsbaumhecken, Zierpflänzchen, Wasserspiele und Orangenbäume den barocken Eindruck der Zeit Sophie Charlottes wieder, während im hinteren Teil die Umgestaltung in einen englischen Landschaftsgarten Ende des 18. Jhs. deutlich wird. Im Norden wurde dem Areal ein Trümmerhügel angegliedert, der heute als Liegewiese, Spielplatz oder Rodelbahn genutzt wird. Ein einzigartiges Beispiel barocker Gartengestaltung ist das Parterre im Garten mit Kies- und Blumenflächen um eine Fontäne. Im Garten nahe der Spree leuchtet die Fassade des **Neuen Pavillons** (Schinkel-Pavillon).

Das **Belvedere** am nordöstlichen Parkrand ließ Friedrich Wilhelm II. 1788 als Teehaus erbauen. Hier sind Erzeugnisse der Königlich Preußischen Porzellanmanufaktur (KPM) aus dem 18. und 19. Jh. ausgestellt (April–Okt. Di–So 10–18 Uhr).

Auf dem Rückweg kann man am **Mausoleum** vorbeigehen. Friedrich Wilhelm III. hatte das Tempelchen 1810–12 als Grablege für sich und seine Gemahlin, die sehr beliebte und früh verstorbene Königin Lui-

Karte S. 124

Tour 8: Rund ums Schloss Charlottenburg **City West**

se, bauen lassen. Dass Hohenzollern-Regenten nicht den Berliner Dom für ihre Grablege wählten, sondern auch den eigenen Garten zur letzten Ruhestätte bestimmen konnten, hatte Friedrich der Große in Sanssouci vorgemacht. 1894 gelangten auch die Sarkophage Kaiser Wilhelms I. und seiner Gattin Augusta nach Charlottenburg (April bis Okt. Di–So 10–18 Uhr).

Zwischenstopp: Restaurant
Kleine Orangerie € ❶ [B2]
Angenehmes, ruhiges Gartenlokal neben dem Parkplatz vorm Schloss.
• Spandauer Damm am Schloss 14059 | Tel. 322 20 21 www.kleineorangerie.de

Di–So 10–18 Uhr, Jan, Feb auch Di geschl., Sommer tgl. 10–18 Uhr

Gipsformerei 15 [A2–A3]
Die Gipsformerei ist ein besonderer Tipp für Kunstliebhaber. Diese Einrichtung der Staatlichen Museen zu Berlin ist neben den Werkstätten des British Museum in London und des Pariser Louvre einer der führenden Hersteller von Gipskopien.

Auch Besucher können sich aus rund 7000 Vorlagen eine Venus von Milo, eine Büste der Nofretete oder einen Buddha fertigen lassen (Sophie-Charlotten-Str. 17/18, 14059, Tel. 32 67 69 11, www.smb.museum/, Mo–Fr 9–16, Mi bis 18 Uhr, regelmäßig Führungen).

SEITENBLICK
Berliner Seele: Zille
Nach wie vor ist Rudolf Heinrich Zille einer der populärsten Zeichner und Fotografen der Stadt. Mehr als 35 Jahre lebte der Künstler, der dem Volk aufs Maul schaute, in der Sophie-Charlotten-Straße 88, ganz nahe beim Schloss.

Zille wurde 1858 im sächsischen Radeberg geboren. Als er im Alter von neun Jahren mit seinen Eltern in die Hauptstadt zog, erfuhr er die harten Lebensbedingungen in den Arbeitervierteln am eigenen Leibe. Schon als Kind brachte er sich selbst das Zeichnen bei, lernte aber später »ordentlich« in Abendkursen auf der Königlichen Kunstschule. Als Freischaffender lieferte er Beiträge für die »Lustigen Blätter« und den »Simplicissimus«. Mit seinen satirisch-bissigen Darstellungen der Berliner Arbeiterklasse und des Lumpenproletariats ist er in die Geschichte eingegangen. In muffigen Hinterhöfen, schmuddeligen Kneipen und Armeleutewohnungen fand er seine Motive.

Trotz der gesellschaftlichen Anerkennung, die der Zeichner erfuhr – 1924 ernannte ihn die Preußische Akademie der Künste zum Ordentlichen Mitglied – fühlte er sich dem »Milieu« stets zutiefst verbunden. Begraben liegt Zille, der 1929 starb, auf dem Stahnsdorfer Waldfriedhof. Ein Findling mit seinem Porträt fertigte der Bildhauer August Kraus, es schmückt die Ruhestätte des Humoristen.

Im Nikolaiviertel › S. 91 befindet sich das **Heinrich-Zille-Museum** mit Zeichnungen und Fotos (Propststr. 11, 10178, Mitte, Tel. 24 63 25 00, www.zillemuseum-berlin.de; tgl. 11–18 Uhr, April–Okt. bis 19 Uhr, Eintritt 6 €, erm. 5 €).

City West Tour 8: Rund ums Schloss Charlottenburg

Museum Berggruen 16 ★ [B3]

Seit 1996 residiert das Museum Berggruen im westlichen **Stülerbau** gegenüber dem Schloss Charlottenburg. Der Bau war 1851 von August Stüler für die Stallungen von König Wilhelm IV. geplant worden. Zwischen 1960 und 1993 hatte die Antikensammlung hier ihr Ausstellungsforum, bevor sie, wiedervereint mit den Beständen im Ostteil der Stadt, zurück ins Alte Museum auf die Museumsinsel zog. Die wertvolle Privatsammlung des Kunsthändlers Heinz Berggruen zeigt herausragende Werke der Klassischen Moderne, vor allem von Picasso, Klee, Giacometti und Matisse.

Auf drei Etagen werden unter dem Titel »**Picasso und seine Zeit**« über 100 Gemälde, Skulpturen und Papierarbeiten des Meisters gezeigt. Von Paul Klee sind über 60 Gemälde zu sehen, von Henri Matisse mehr als 20 Werke. Das Museum wurde saniert und um das benachbarte Kommandantenhaus ergänzt. (Schloßstr. 1, 14059, www.smb.museum/, Tel. 266 42 42 42, Di–Fr 10–18, Sa/So 11–18 Uhr).

Bröhan-Museum 17 ★ [B3]

Kunstwerke der etwas anderen Art präsentiert das Bröhan-Museum nebenan, in einer alten Industriekaserne. Die Sammlung ist ein Geschenk des Hamburger Kaufmanns Professor Karl Bröhan. Über viele Jahre erstand der Stifter Möbel, Porzellan, Gläser, Gemälde und Objekte des Industriedesigns aus der Zeit zwischen der Pariser Weltausstellung 1889 und 1939. Gegliedert in die Gebiete Kunsthandwerk und Bildende Kunst von Jugendstil und Art déco bis zum Funktionalismus. Mehr als 1600 Kunstobjekte sind in der Abfolge ihrer Entstehung ausgestellt (Schloßstr. 1a, 14059, Tel. 32 69 06 00, www.broehan-museum.de, Di–So 10–18 Uhr, Eintritt 6–8 €, erm. 4 €, erster Mi im Monat Eintritt frei).

Sammlung Scharf-Gerstenberg 18 ★ [B3]

Eine hochkarätige **Sammlung von Surrealisten** wird gegenüber vom Schloss Charlottenburg, im östlichen Stülerbau und im Marstall gezeigt. Bis 2008 war dort das Ägyptische Museum zu finden.

Auf drei Etagen präsentieren sich über 250 Surrealisten und deren Vorläufer. Das Spektrum reicht von Piranesi, Goya und Redon bis zu Dalí, Magritte, Max Ernst und Dubuffet (Schloßstr. 70, 14059, Tel. 266 42 42 42, www.smb.museum/, Di–Fr 10–18, Sa/So 11–18 Uhr).

Keramik-Museum Berlin 19 [B3]

Im ältesten erhaltenen Bürgerhaus Charlottenburgs (1712) präsentiert das Keramik-Museum Berlin (KMB) in Sonderausstellungen seine Schätze (Schustehrusstr. 13, 10585, Tel. 321 23 22, www.keramik-museum-berlin.de, Mi–Mo 13–17 Uhr, Eintritt 2 €, Kinder bis 14 J. frei).

Beliebter Treffpunkt: die Markthalle Neun in Berlin-Kreuzberg

SZENEVIERTEL

Prenzlauer Berg, Kreuzberg und Friedrichshain

Kleine Inspiration

- **Frühstücken gehen** in der Kollwitzstraße im Café SoWohlAlsAuch und der Tag kann beginnen › S. 134
- **Im Viktoriapark in Kreuzberg** hinauf zum Kreuzbergdenkmal spazieren und dort die Atmosphäre und den Blick genießen › S. 137
- **Die Raumvisionen von Daniel Libeskind** im Jüdischen Museum auf sich wirken lassen › S. 142
- **Rund um den Boxhagener Platz** in den vielen kleinen Läden Mitbringsel für zu Hause erstehen › S. 147

Szeneviertel Tour 9–11

Viele Kneipen und schräge Läden – die Szeneviertel sind lebendiger Berliner Alltag.

Ein Spaziergang durch das größte erhaltene Wohnviertel aus der Gründerzeit rund um den Kollwitzplatz im Bezirk **Prenzlauer Berg** führt zu einer Fülle eigenwilliger Cafés, schräger Kneipen und spannender Kulturzentren, dieser Bezirk ist eine der beliebtesten Wohngegenden für junge Leute, aber auch für Familien mit Kindern.

Auch in **Kreuzberg** pulsiert das normale urbane Leben, oft faszinierend bunt, interessant und vielseitig. Gefeiert wird in den zahllosen Kneipen und Bars. Und auch wer gerne essen geht, kann in Kreuzberg leicht eine kulinarische Weltreise unternehmen. Zudem finden viele Künstler aus aller Welt hier eine Nische – entsprechend spannend ist das Angebot an unterschiedlichsten Veranstaltungen.

Im südwestlichen Kreuzberg rund um den Chamissoplatz und die Bergmannstraße (ehemals 61 nach der einstigen Postleitzahl genannt) lebt vor allem das Bildungsbürgertum in den schön sanierten, oft repräsentativen Altbauten. Hier errangen die Grünen bei der Bundestagswahl 2005 ihr bundesweit einziges Direktmandat. Im nordwestlichen Teil des Bezirks befinden sich mit dem Jüdischen Museum, dem Martin-Gropius-Bau, dem Deutschen Technikmuseum, der »Topographie des Terrors« oder dem Checkpoint Charlie einige Hotspots, die auch auf keinem klassischen Berliner Sightseeing-Trip fehlen sollten. Im Osten Kreuzbergs (ehemals 36 genannt) kann die Multikulti-Atmosphäre nicht überall darüber hinwegtäuschen, dass hier auch viele wirtschaftlich benachteiligte Menschen leben. So gilt etwa die Gegend rund um das Kottbusser Tor als sozialer Brennpunkt.

In **Friedrichshain**, das seit der Bezirksreform eine Verwaltungseinheit mit Kreuzberg bildet, zieht die East Side Gallery mit ihren bunt bemalten Resten der Berliner Mauer viele Touristen an. Die O_2 World erweist sich mit Musik- und Sportveranstaltungen als Publikumsmagnet. Kneipenbummler werden im Kiez rund um den Boxhagener Platz fündig.

Auf dem Markt am Kollwitzplatz

Karte S. 132

Tour 9: Prenzlauer Berg **Szeneviertel**

Touren durch die »Szeneviertel«

 **Prenzlauer Berg**

Verlauf: Jüdischer Friedhof › Prater › KulturBrauerei › Kollwitzplatz › Gedenkstätte Berliner Mauer

Karte: Seite 132
Dauer: 4–6 Stunden
Praktische Hinweise:
- Start- und Endpunkt: Senefelderplatz Ⓤ 2.
- Zur Mauergedenkstätte an der Bernauer Straße › S. 135 fährt man vom Senefelder Platz eine Station bis U-Bahnhof Eberswalder Straße und nimmt die Tram 10 bis Gedenkstätte Berliner Mauer.
- Vom Nordbahnhof kommt man mit den Linien Ⓢ 1, Ⓢ 2, Ⓢ 25 ins Stadtzentrum zurück.

Tour-Start:

Nach dem Stadtteil Kreuzberg ist Prenzlauer Berg der am dichtesten besiedelte Stadtteil Berlins, ein typischer ehemaliger Arbeiterbezirk mit Mietskasernen, Hinterhöfen und Quergebäuden. Ein Streifzug durch das Altbauviertel gibt jedoch nur noch teilweise einen Eindruck vom wildromantisch vergammelten, aber originellen Bild des neuen deutschen Ostens.

Zwar gibt es immer noch unsanierte Ecken, aber Prenzlauer Berg ist schicker geworden. Kein Wunder, dass der Bezirk mit seiner guten Infrastruktur, dem gastronomischen und kulturellen Angebot – beispielsweise Prater und KulturBrauerei – viele junge Familien anzieht. Doch nun läuft bereits die dritte Verdrängungswelle. Der Kiez wird langsam teuer. Inzwischen soll nur noch ein geringer Teil der Bevölkerung auch schon zu Wendezeiten hier gewohnt haben.

Am Rande des Bezirks an der Bernauer Straße versuchen Mauergedenkstätte und Dokumentationszentrum das Bewusstsein an die Zeit der Teilung und das menschenverachtende Grenzsystem der DDR aufrechtzuerhalten.

Pfefferberg ❶ [J1]

Eine ehemalige Brauerei ist der Pfefferberg zwischen Christinenstraße und Schönhauser Allee: Wo bis 1921 Bier gebraut wurde, entsteht nach umfangreicher Sanierung nach und nach ein Kreativzentrum mit Gastronomie und Kulturangeboten. Adresse, s. u.

Zwischenstopp: Restaurant
Tauro €€ ❶ [J1]
Spanisches XL-Restaurant mit Pasta-Bar, Delikatessenladen und Grillrestaurant auf dem Pfeffergbergsgelände. Im Sommer mit großem Biergarten.
- Schönhauser Allee 176 | 10119 Prenzlauer Berg | Tel. 40 05 60 48
  www.tauro-berlin.de
  Tgl. ab 11.30 Uhr, Feinkostladen ab 9, So ab 11 Uhr

Jüdischer Friedhof 2 [J1]

In Höhe der Schönhauser Allee 22 liegt der Jüdische Friedhof. Im Schatten der hohen Bäume liegen berühmte Berliner Persönlichkeiten wie der Komponist Giacomo Meyerbeer, der Verleger Leopold Ullstein und der Maler Max Liebermann begraben. Der Friedhof wurde 2004 um ein Lapidarium erweitert: In der Halle werden wertvolle Grabsteine vor der Witterung geschützt (10435, Mo–Do 8–16, Fr 7.30–14.30 Uhr; männliche Besucher bitte mit Kopfbedeckung, die am Eingang ausgeliehen werden kann).

Prater 3 [J1]

Einen Bierausschank gab es an der Kastanienallee 7–9 schon vor über 175 Jahren; später siedelten sich auch andere Vergnügungsstätten wie Filmtheater und Varieté an. Jetzt amüsieren sich hier wieder Groß und Klein sowie Szenegänger. Mit einem der schönsten Biergärten Berlins, Tanzsaal, Restaurant und Spielstätte der Volksbühne am Rosa-Luxemburg-Platz gehört der Prater zu den wichtigen Kulturstätten der Stadt (10435, www.pratergarten.de, Mo–Sa ab 18, So ab 12 Uhr; Biergarten April–Sept. bei schönem Wetter tgl. ab 12 Uhr). **50 Dinge** ⑮ › S. 13. In der **Kastanienallee** ⭐, die wegen ihrer vielen Flaneure »Casting-Allee« genannt wird, gibt es zahlreiche Cafés, Restaurants, Design- und Modeläden.

Restaurant

Für den kleinen Hunger bietet sich ein Abstecher in die Eberswalder Straße. Bei **Fast Rabbit** [J1] am Mauerpark wer-

Tour durch Prenzlauer Berg

Tour ⑨

Der Prenzlauer Berg

1. Pfefferberg
2. Jüdischer Friedhof
3. Prater
4. KulturBrauerei
5. Husemannstraße
6. Kollwitzplatz
7. Synagoge Friedenstempel
8. Wasserturm

Karte S. 132

Tour 9: Prenzlauer Berg **Szeneviertel**

den köstliche vegetarische Wraps, Salate und hausmachte Pommes Frites, die dazu gut bezahlbar sind, angeboten.
• Eberswalder Str. 1 | 10437
 Tel. 34 71 50 08
 Mo–Sa 11–21, So 12–20 Uhr

KulturBrauerei 4 ★

Das trapezförmige, frühere Gelände der Schultheiß-Brauerei – ab 1891 unter Leitung von Kaiser Wilhelms Architekten Franz Schwechten erbaut, ist heute ein Kultur-, Gewerbe- und Dienstleistungszentrum. Unter neuer Leitung dient die Brau-

Flohmarkt oder Party, die Events in der KulturBrauerei sind vielfältig

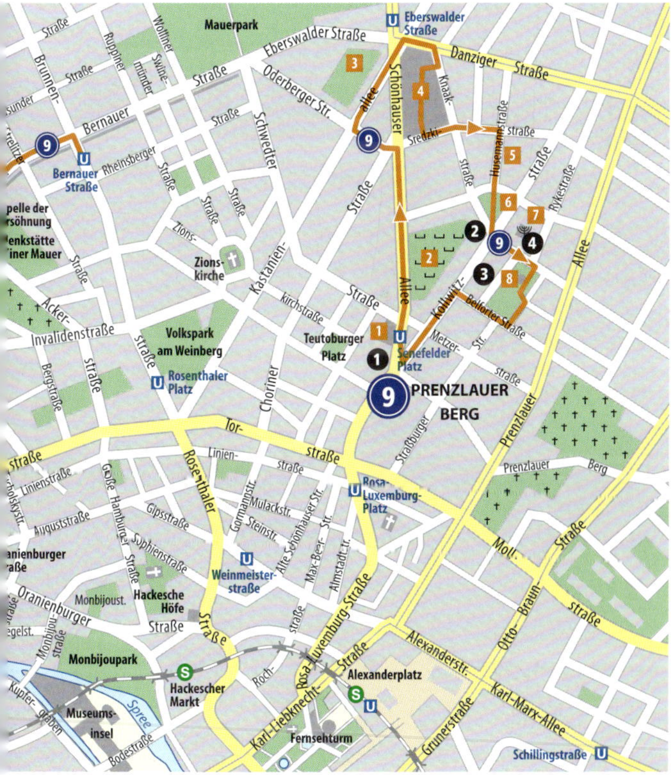

Szeneviertel Tour 9: Prenzlauer Berg Karte S. 132

erei, ein reizvolles Beispiel für Industriearchitektur, als »alternativer Kulturstandort« für Konzerte, Theater und Lesungen. Im Hof erinnern die Portalüberschriften »Pferdestall«, »Flaschenbier« und »Böttcherwerkstatt« an die einstige Bewirtschaftung. Es gibt auch einen bayerischen Biergarten (10435, Eingänge: Sredzkistr. 1, Schönhauser Allee 36, Knaackstraße 97, Tel. 44 31 51 52, www.kulturbrauerei.de). Was in der KulturBrauerei, in Prenzlauer Berg, Pankow und Weißensee los ist, erfährt man bei **tic Tourist Information Center**. In diesem Infobüro im Maschinenhaus bekommt man auch Tickets für die Veranstaltungen in der KulturBrauerei und Berlin-Literatur. Außerdem kann man sich hier für Führungen per pedes oder mit dem Fahrrad anmelden (Schönhauser Allee 36, 10435, Tel. 44 35 21 70, So–Mi 12–18, Do bis Sa 12–20 Uhr). **50 Dinge** ④ › S. 12.

An der Schönhauser Allee 46 findet man mit dem **Kochhaus** ein ungewöhnliches Lebensmittelgeschäft. Für diverse Gerichte erhält man alle alle Zutaten portionsweise abgepackt inkl. der Kochanleitung und dem passenden Wein (10437, www.kochhaus.de, Mo–Sa 10–21 Uhr).

Husemannstraße ⑤ [J1–K1]
Der Abschnitt der Husemannstraße zwischen Kollwitzplatz und Sredzkistraße wurde bereits zu DDR-Zeiten in eine Art Museum verwandelt, denn als man Anfang der 1980er-Jahre die Gebäude sanierte, wurde jede einzelne Fassade auf Altberlin getrimmt. »Mass-Atelier« und »Damenschneiderei« ist z. B in alter Schrift zu lesen.

SEITENBLICK
Wer hier lebte
Im Prenzlauer Berg haben immer Leute gelebt, die regimekritisch dachten: Im Dritten Reich war der Prenzlauer Berg Hochburg des kommunistischen Widerstands, wie auch zu DDR-Zeiten, als hier die meisten Wahlverweigerer Berlins lebten. Ohne staatliche Zuweisung bezogen junge Leute leer stehende Wohnungen. So formierte sich die Bewegung des politischen Umbruchs 1989 in der Gethsemanekirche an der Stargarder Straße. Am 9. November 1989 wurde an der Bornholmer Straße im Norden des Bezirks die erste Bresche in die Mauer geschlagen.

Restaurant
Kaffeehaus SowohlAlsAuch € [K1]
Café, Backstube und Feinkostladen. Große Auswahl an Torten und Kuchen-Kreationen – sehr schmackhaft.
• Kollwitzstraße 88 | 10435
Tel. 442 93 11
www.tortenundkuchen.de
tgl. 8–2 Uhr

Am Kollwitzplatz ⑥ ★ [J1–K1]
Mitten auf dem Kollwitzplatz steht das **Käthe-Kollwitz-Denkmal**, das Gustav Seitz 1958 in Anlehnung an ein Selbstbildnis der Geehrten schuf. Es spricht von der Resignation der Künstlerin unter dem Nationalsozialismus. Über 50 Jahre

SPECIAL

Mauer-Erinnerungen

Am 10. Jahrestag des Mauerfalls, am 9. November 1999, wurde das **Dokumentationszentrum Berliner Mauer** mit der Ausstellung »Grenzblicke« eröffnet. Es ist Teil der **Gedenkstätte Berliner Mauer** [H1] an der Bernauer Straße. Hier, zwischen den Bezirken Prenzlauer Berg und Wedding, verlief die Grenze zwischen Ost und West. Das Zentrum bietet vielfältige Informationen zur Geschichte der Berliner Mauer und dient zugleich der Erforschung der Geschichte der Teilung Berlins und Deutschlands. Im **Besucherarchiv** können Bürger in Text-, Ton-, Bild- und Filmdokumenten eigenständig recherchieren.

Ebenfalls Teil der Gedenkstätte ist die **Kapelle der Versöhnung**, ein ovaler Stampflehmbau mit Wandelgang und lichtdurchlässiger Holzlamellen-Fassade. Früher stand dort die Kirche der Evangelischen Versöhnungsgemeinde. Sie wurde 1985 auf Befehl der DDR-Regierung gesprengt. Vor der Kapelle hängen die geretteten Glocken, innen wird das »Mauertotenbuch« verlesen.

Gedenkstätte Berliner Mauer, Bernauer Straße 111, 13355 Berlin, Tel. 467 98 66-66, www.berliner-mauer-gedenkstaette.de, April bis Okt. Di–So 9.30–19, Nov.–März Di–So 9.30–18 Uhr, Eintritt frei.

Weitere Infos rund um die Mauer und über den Mauerweg unter www.berlin.de/mauer.

Der »**Berliner Mauerweg**«, ein 160 km langer Rad- und Wanderweg, führt in mehreren Abschnitten rund um das ehemalige West-Berlin und zeichnet dabei den Grenzverlauf nach. An rund 40 Stationen erhält man Informationen zu Teilung und Mauerbau.

Szeneviertel Tour 9: Prenzlauer Berg

Karte S. 132

Typisches Prenzlauer-Berg-Flair

wohnte sie mit ihrem Mann, dem Armenarzt Karl Kollwitz, im Eckhaus Kollwitzstraße 25. Fast unbemerkt von den Nachbarn schuf die Künstlerin ihre eindringlichen Werke.

Äußerst beliebt und belebt ist der samstägliche Markt auf dem Kollwitzplatz. In den umliegenden Seitenstraßen, am besten in einem der zahlreichen Läden und Boutiquen, in den Cafés, Bars, Kneipen und Restaurants, kann man das typische Prenzlauer-Berg-Flair erleben.

Zwischenstopp: Restaurants
Gugelhof €€ **2** [J1]
Seit Bill Clinton hier speiste, wollen viele die Küche des Dreiländerecks Baden/Elsass/Schweiz probieren.
- Knaackstr. 37 | 10435
  Tel. 442 92 29 | www.gugelhof.de
  Mo–Fr ab 16, Sa/So ab 10 Uhr

Meierei €€ **3** [J1]
In dem Bistro wird auf Bio-Produkte gesetzt und lecker alpenländisch gekocht.
- Kollwitzstraße 42 | 10405
  Tel. 92 12 95 73 | www.meierei.net
  Mo–Fr 8–20, Sa 9–18, So 10–18 Uhr

Shopping
Unikaterie [J1]
Ungewöhnliches und Einmaliges, ob Mode, Blechspielzeug oder Stoffe.
- Kollwitzstraße 52 | 10405
  Tel. 31 56 91 24 | www.unikaterie.de
  Mo–Sa 11–19 Uhr

Synagoge **7** und Wasserturm **8** [K1]
Im Hof der Rykestraße 53 steht mit der **Synagoge Friedenstempel** das einzige jüdische Gotteshaus, das die Nazis in der Pogromnacht am 9. November 1938 nicht in Brand steckten. Es ist die größte jüdische Synagoge Deutschlands mit 1200 Plätzen. Nach langer Sanierung wurde sie 2007 eingeweiht (10405).

Wahrzeichen von »Prenzelberg« ist der **ehemalige Wasserturm** von 1856 auf dem Mühlenberg. Oben war der Hochwasserbehälter, darunter die Wohnungen für Wasserwerker. Die SA missbrauchte die Kellergewölbe als Gefängnis. Sie sind bei Führungen oder Veranstaltungen zugänglich (10405, zwischen Knaack- und Belforter Straße).

Zwischenstopp: Restaurant
Das **Pasternak** € **4** [K1] ist *die* russische Institution am Wasserturm.
- Knaackstr. 22/24 | 10405
  Tel. 441 33 99 | restaurant-pasternak.de
  tgl. 9–1 Uhr

Tour 10: Das westliche Kreuzberg **Szeneviertel**

Durch das westliche Kreuzberg

Verlauf: Flughafen Tempelhof › **Bergmannstraße** › **Deutsches Technikmuseum** › **Anhalter Bahnhof** › **Checkpoint Charlie** › **Jüdisches Museum**

Karte: Seite 138
Dauer: 1 Tag, inklusive Museumsbesuche
Praktische Hinweise:
- Startpunkt ist der Platz der Luftbrücke vor dem Flughafen Tempelhof Ⓤ 6, Endpunkt der Tour ist das Hallesche Tor Ⓤ 1, Ⓤ 6.
- Um den recht langen Weg abzukürzen, könnte man vom Mehringdamm mit der Ⓤ 6 bis zur Haltestelle Kochstraße in der Nähe des Checkpoint Charlie fahren.
- Das Technikmuseum erreicht man, indem man vom Halleschen Tor mit der Ⓤ 1 bis zur Haltestelle Gleisdreieck fährt.

Tour-Start: **Flughafen Tempelhof** 9 ⭐ [H6]

Von 1937 bis zur Eröffnung des Flughafens Tegel 1975 wurde fast der gesamte Berliner Luftverkehr hier abgewickelt, einschließlich der Versorgung der Bevölkerung durch die Alliierten bei der Blockade 1948/49. Daran erinnert das **Luftbrückendenkmal** mit drei nach Westen aufstrebenden Bögen. Im Oktober 2008 wurde der Flughafen endgültig geschlossen.

Als Volkspark Tempelhof wurde das Gelände knapp zwei Jahre später für die Öffentlichkeit freigegeben. Auf den 380 ha des Tempelhofer Feldes, wie das Gelände jetzt heißt, wurden Grill-, Picknick- und Hundeauslaufplätze geschaffen sowie Radler-, Skater- und Joggingstrecken eingerichtet (12101, Platz der Luftbrücke 5, tgl. geöffnet).

Die zwei mal jährlich stattfindende Modemesse »Bread & Butter« hat den ehemaligen Flughafen zu ihrem Domizil erklärt.

FÜHRUNGEN ZUR GESCHICHTE des Flughafens, der unter Denkmalschutz steht, finden nach Anmeldung statt (www.tempelhofer freiheit.de, Tel. 200 03 74-41).

Viktoriapark 10 [G5–G6]

Von der Großbeerenstraße am Eingang zum Viktoriapark fällt der Blick auf den Wasserfall: 13 000 l Wasser stürzen hier pro Minute hinunter, sofern Sponsoren die Wasserrechnung begleichen.

Im Park kann man entweder im Biergarten Golgatha Rast machen oder hinaufgehen zum **Kreuzbergdenkmal** von 1821 in 66 m Höhe. Karl Friedrich Schinkel hat es zur Erinnerung an die Freiheitskriege entworfen. Von hier oben hat man vor allem im Winter, wenn die Parkbäume unbelaubt sind, einen schönen Blick über die Stadt.

Unterhalb des Parks erinnert in der Methfesselstraße 10 eine Gedenktafel an **Konrad Zuse**, der von 1936–44 den ersten funktionsfähigen Computer der Welt gebaut hat.

137

Restaurant

Im **+39 piùtrentanove** €–€€ [G5] bekommt man Pizzen im XXL-Format.
- Möckernstr. 73 | 10965
  Tel. 700 94 206
  Mo–Sa ab 11.30, So ab 10.30 Uhr

Riehmers Hofgarten 11 [G5–H5]

Als um 1900 in der expandierenden Hauptstadt die trostlos engen und muffigen Mietskasernen wie Pilze aus dem Boden schossen, dachte sich der Maurermeister Wilhelm F. A. Riehmer, dass es auch anders gehen müsse. Er entschloss sich zum Bau der 20 fünfgeschossigen Bauten entlang der Yorck-, Hagelberger- und Großbeerenstraße. Die hohen Räume, reich geschmückte Neorenaissancefassaden und der parkartige Innenhof erlauben gehobenes innerstädtisches Wohnen.

Drumherum haben sich Geschäfte, das Yorck-Kino und viele Restaurants und Bars etabliert 10965, Yorckstr. 83, www.riehmershofgarten.de).

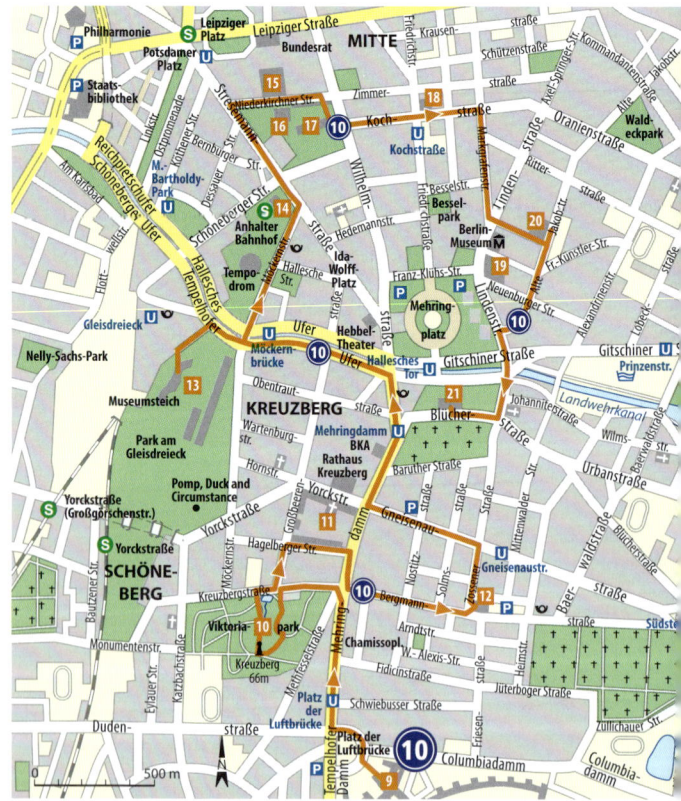

Karte
S. 138

Tour 10: Das westliche Kreuzberg **Szeneviertel**

Restaurants

Früher ein Imbiss, heute ausgebaut zu einem kleinen Restaurant ist das **Sufis**, € [G5], Yorckstr. 82, 10965, tgl. 12–24 Uhr, weiterhin eine »der« Adressen für orientalische Spezialitäten, allem voran Falafel.

Nicht entgehen lassen sollte man sich Thomas Kurts Kreationen im **e.t.a. hoffmann**, €€–€€€ [G5], Yorckstr. 83, 10965, Mi–Mo ab 17 Uhr. Mitten im Alt-Berliner Gebäudekomplex Riehmers Hofgarten lohnt das **Riehmers**, €€ [G5], den Besuch (Zugang über Hagelberger Str. 9, Tel. 78 09 88 09, Mi–Mo ab 17 Uhr).

Cones sind wie Pizza, nur in Eistütenform – dieses originelle Fast- und Fingerfood mit Füllungen zum Selberzusammenstellen gibt es im **Cones** [H6] (Schenkendorfstr. 1, 10961, Di–So 11 bis 21 Uhr, Sommer auch länger).

Rund um die Bergmannstraße [H5–H6]

Die Bergmannstraße ist mit ihren vielen netten Straßencafés, Szenerestaurants, schrägen und schicken Läden eine herrliche Flanier- und Einkaufsmeile, die sich von Jahr zu Jahr weiter herausputzt. In der sanierten **Marheineke-Markthalle** 12 können sich Genießer mit regionalen, mediterranen und Biolebensmitteln eindecken (Marheinekeplatz 15, 10961, meine-markthalle.de, Mo–Fr 8–20, Sa 8–18 Uhr).

Jedes Jahr im Juni findet hier das Bergmannstraßenfest statt: An drei Tagen spielen auf zahlreichen Bühnen Jazz- und Bluesbands.

Tour durch Kreuzberg

Tour 10
Durch das westliche Kreuzberg

9 Flughafen Tempelhof
10 Viktoriapark
11 Riehmers Hofgarten
12 Marheineke-Markthalle
13 Deutsches Technikmuseum
14 Anhalter Bahnhof
15 Preußischer Landtag
16 Martin-Gropius-Bau
17 Topographie des Terrors
18 Checkpoint Charlie
19 Jüdisches Museum
20 Berlinische Galerie
21 Gedenkbibliothek

!Erst-
klassig

Alles vegetarisch

- **Seerose** € [J5–J6]
  Aus rund 16 Gerichten kann man sich am vegetarischen Büffet zwei, drei oder vier auswählen.
  Körtestr. 38 | 10967 | Kreuzberg
  Tel. 69 81 59 27
  Mo–Sa ab 10, So ab 12 Uhr
- **Yellow Sunshine** € [K5]
  Serviert wird Fastfood: Burger für Vegetarier und Veganer – alles bio, vegetarisch oder vegan.
  Wiener Str. 19 | 10999
  Kreuzberg | Tel. 69 59 87 20
  tgl. ab 12 Uhr
- **Yoyo-Foodworld** € [M4]
  Vegan-vegetarisches Bio-Fastfood: Pizzen, Salate, Wraps, Burger.
  Gärtnerstr. 72 | 10245
  Friedrichshain | Tel. 49 787 384
  www.yoyofoodworld.de
  tgl. 12–24 Uhr
- **Cookies Cream** €€ [H3]
  Bestes vegetarisches Restaurant der Stadt. Szenig und innovativ.
  Behrenstr. 55 | 10117 | Mitte
  Eingang über den Hinterhof
  Tel. 27 49 29 40
  www.cookiescream.de
  Di–Sa ab 19 Uhr
- **Kopps** [H2]
  Koch und Kochbuchautor Björn Moschinski serviert deutsche Gerichte vegan und kreativ.
  Linienstr. 94 | 10115 | Mitte
  Tel. 43 20 97 75
  www.kopps-berlin.de
  Mo–Fr ab 12, Sa, So ab 9.30 Uhr

Der nahe gelegene **Chamissoplatz** mit seinen restaurierten Gründerzeithäusern war in den 1980er-Jahren Zentrum der Hausbesetzerbewegung und ist heute eine beliebte Wohnadresse. Am Samstag findet auf dem Platz ein beliebter **Öko- und Bio-Markt** statt (10965, 9–15 Uhr).

Ein besonderes Theater ist das **English Theatre Berlin**, ehemals Friends Of Italian Opera. Es bringt klassische wie zeitgenössische britische und US-Theaterklassiker sowie Comedy ausschließlich in englischer Sprache auf die Minibühne (Fidicinstr. 40, 10965, Tel. 691 12 11, www.etberlin.de).

Deutsches Technikmuseum 13 ⭐ [G5]

Der Rosinenbomber, der am Landwehrkanal in der Luft schwebt, gehört zum Erweiterungsbau des Deutschen Technikmuseums, das mehrere Jahrhunderte Technikgeschichte präsentiert. Im Neubau kann man die Geschichte der Schiff- und Luftfahrt verfolgen. V. a. für Kinder ein Muss (Trebbiner Str. 9, 10963, Tel. 90 25 40, www.sdtb.de, Di–Fr 9–17.30 Uhr, Sa/So 10 bis 18 Uhr)! **50 Dinge** 26 › S. 15.

Anhalter Bahnhof 14 [G4]

Der Anhalter Bahnhof war nach seiner Errichtung in der Gründungszeit des Deutschen Reiches der verkehrsreichste Berliner Fernbahnhof. Kaiser und Könige aus aller Welt wurden hier begrüßt, Staatsempfänge zelebriert. Im Zweiten Weltkrieg wurde das Gebäude stark in Mitleidenschaft gezogen. Erhalten

Tour 10: Das westliche Kreuzberg **Szeneviertel**

ist die Ruine des Eingangsportals. Am südlichen Rand des Bahnhofgeländes bietet das **Tempodrom** in einem spektakulären, zeltförmigen Bau Events aller Art (Möckernstr. 10, 10963, Tel. 74 73 70, www.tempodrom.de).

Hinter dem Anhalter Bahnhof und in unmittelbarer Nähe des Deutschen Technikmuseums wurde eine der letzten und ehemals größte Brachfläche Berlins, die 150 Jahre lang Bahngelände war, in den **Park am Gleisdreieck** umgewandelt. Seit dem Frühjahr 2013 ist Berlin um dieses innerstädtische Naherholungsgebiet mit Wiesen, Sonnenterrassen, Sport- und Spielbereichen, Wegen zum Spazieren gehen, Joggen und Radfahren, einer großen Skateanlage, einem kleinen Wald, der 50 Jahre lang ungestört gewachsen ist und historischen Relikten wie einer ehemaligen Milchladerampe, reicher.

Niederkirchnerstraße [G4]

Das prächtige Palastgebäude des **Preußischen Landtags** 15 ist ein Überbleibsel des früheren Berliner Regierungsviertels beiderseits der Wilhelmstraße (Nr. 5, 10117). Seit 1993 hat hier das Berliner Abgeordnetenhaus seinen Sitz.

Die Mauer verlief längs der Niederkirchnerstraße und trennte den Landtag vom direkt gegenüber gelegenen **Martin-Gropius-Bau** 16. Seit seiner Restaurierung ist das Gebäude mit dem eindrucksvollen Lichthof zu einem der wichtigsten Ausstellungsorte Berlins geworden (Nr. 7, 10963, Tel. 25 48 60, www.museumsportal-berlin.de, Mi–Mo 10–19 Uhr).

Die Dokumentationsstätte **Topographie des Terrors** 17 auf dem Prinz-Albrecht-Gelände neben dem Martin-Gropius-Bau nimmt ehemalige Räume des Verfolgungsapparats der Nazis ein. Nach dem Krieg wurden der Sitz der Gestapo, die Räume der SS-Führung und des SS-Sicherheitsdienstes sowie das Reichssicherheitshauptamts planiert. Erst in den 1980er-Jahren legte man die Folterkeller frei.

Nach 23 Jahren provisorischer Ausstellung wurde im Mai 2010 der Neubau des Dokumentationszentrums mit einer neu konzipierten, eindringlichen Ausstellung eröffnet (Niederkirchnerstr. 8, 10963, Tel. 25 45 09-50, www.topographie.de, tgl. 10–20 Uhr, Außenbereiche bis Einbruch der Dunkelheit).

Checkpoint Charlie 18 ⭐ [H4]

Der Checkpoint Charlie in der Friedrichstraße war bis 1989 eine Kontrollstelle zwischen West- und Ostteil der Stadt, der speziell für Botschaftsangehörige, Patrouillen und Bürger der alliierten Staaten eingerichtet war. Das Mauermuseum zeigt eine Sammlung von Geräten, mit denen DDR-Bürger den Todesstreifen überwinden konnten bzw. wollten, sowie Dokumente zur Teilung Berlins (Friedrichstraße 43 bis 45, 10969, Tel. 253 72 50, www.mauermuseum.de; tgl. 9–22 Uhr, 12,50 €, erm. 5,50–9,50 €, bis 6 J. frei).

Szeneviertel Tour 10: Das westliche Kreuzberg

Der Grundriss des Jüdischen Museums gleicht einem aufgesprengten Davidstern

Galeriehaus Lindenstraße [H4]

Neben dem Kunstquartier in der Zimmerstraße gibt es inzwischen ein weiteres: das Galeriehaus in der Lindenstraße 34/35. In dem vom dem Galeristen Claes Nordenhake erworbenen Bau aus dem Jahre 1912 haben sich inzwischen gut ein Dutzend internationale Galerien angesiedelt (10969, Di–Sa 11 bis 18 Uhr).

Jüdisches Museum 19 ★ [H4]

Der ungewöhnliche, silberfarbene Bau des Architekten Daniel Libeskind gehört mit seinen Licht- und Sehschlitzen sowie der ungewöhnlichen Raumgestaltung zu den Publikumsmagneten unter den Berliner Museen. Auf 3000 m² präsentiert eine Dauerausstellung Zeugnisse zweier Jahrtausende deutsch-jüdischer Geschichte (Lindenstr. 9–14, 10969, Tel. 25 99 33 00, www.jmberlin.de, Di–So 10–20, Mo 10 bis 22 Uhr, Eintritt 8 €, erm. 3 €).

Berlinische Galerie 20 [H4]

Hinter dem Jüdischen Museum zeigt in einem ehemaligen Glaslager das **Landesmuseum für Moderne Kunst, Fotografie und Architektur** (kurz Berlinische Galerie) innovative Kunst ab 1870 in Wechselausstellungen (Alte Jakobstr. 124–128, 10969, Tel. 78 90 26 00, www.berlinischegalerie.de, Mi–Mo 10 bis 18 Uhr, 8 €, erm. 5 €, jeden ersten Mo im Monat 4 €, bis 18 J. frei).

Gedenkbibliothek 21 [H5]

Über den Mehringplatz, nach 1945 von Hans Scharoun umgestaltet, geht es vorbei an der Friedenssäule, zum Blücherplatz (Nr. 1, 10961, Mo–Fr 10–20, Sa 10–19 Uhr, www.zlb.de). Hinter einer 1950er-Jahre-Fassade verbirgt sich die Gedenkbibliothek, die meistfrequentierte Stadtbibliothek Berlins.

Tour 11: Kottbusser Tor nach Friedrichshain **Szeneviertel**

Vom Kottbusser Tor nach Friedrichshain

Verlauf: Kottbusser Tor › Maybachufer › Oranienstraße › Oberbaumbrücke › East Side Gallery › O2-World › Simon-Dach-Straße › Volkspark Friedrichshain

Karte: Seite 145
Dauer: 4–6 Stunden
Praktische Hinweise:
- Vom Halleschen Tor (Endpunkt Tour 10 sind es zwei U-Bahn-Stationen mit der Ⓤ 1 zum Kottbusser Tor, dem Ausgangspunkt.
- Um weiter nach Friedrichshain zu gelangen, empfiehlt es sich, mit der Ⓤ 1 von der Station Görlitzer Bahnhof Richtung Warschauer Straße bis zur Station Schlesisches Tor zu fahren.
- Diese Tour lässt sich auch gut mit einer Schiffahrt auf Landwehrkanal und Spree verbinden. In diesem Fall nutzt man die Anlegestelle an der Kottbusser Brücke.

Tour-Start:
Rund um das Kottbusser Tor 22 [J4–K4, J5–K5]

Der Bahnhof und seine Umgebung sind kein schönes Pflaster. Das multikulturelle »Kreuzberg 36« wurde in den 1970er- und 1980er-Jahren durch seine Hausbesetzer und die vielen ausländischen Bewohner berühmt-berüchtigt. Die Berliner nennen die »größte türkische Stadt außerhalb der Türkei« gern »Klein-Istanbul«. Unübersehbar vom Kottbusser Tor aus ist der Gebäuderiegel über der Adalbertstraße – eine Bausünde namens Neues Kreuzberger Zentrum.

Der Kiez um die Adalbert- und Oranienstraße ist nicht mehr so brisant wie einst. In einer alten Fabriketage zeigt das **FHXB Friedrichshain-Kreuzberg Museum** 23 eine Ausstellung zur Gewerbegeschichte (Adalbertstr. 95a, 10999, Tel. 50 58 52 33, www.kreuzbergmuseum.de, Mi–So 12–18 Uhr, Eintritt frei).

Das **Ballhaus Naunynstraße** 24, ein Ballhaus des 19. Jhs. im Hinterhof, ist eine beliebte Adresse für junges (Tanz-)Theater (Naunynstr. 27, 10997, Tel. 75 45 37 25, www.ballhausnaunynstrasse.de, Karten 14 €, erm. 8 €).

Vom Kottbusser Tor lohnt sich ein Abstecher nach Süden ans **Maybachufer** 25 des Landwehrkanals, wenn man die Atmosphäre eines eingedeutschten Basars auf dem »Türkenmarkt« schnuppern kann (www.tuerkenmarkt.de, Di und Fr 11–18.30 Uhr); ! Stoff- und Kunsthandwerksmarkt (Sa 11–17 Uhr).

Hier befindet man sich bereits im Bezirk Neukölln. Lange unbeachtet, hat sich der Kiez zwischen dem Maybachufer und der Sonnenallee seit einigen Jahren in das Szeneviertel namens »Kreuzkolln« mit Cafés wie der **Melbourne Canteen** (Pannierstr. 57 [K6], 12047, Tel. 62 73 16 02, tgl. ab 9 Uhr), Restaurants wie dem **Nansen** (Maybachufer 39 [K5], 12047, Tel. 66 30 14 38, tgl. ab 18 Uhr), Bars und Geschäften entwickelt.

Die Cafés auf der Sonnenseite des Heinrichsplatzes sind beliebt

Str. 34, 10999, Tel. 61 28 71 21, tgl. ab 18 Uhr), französische Küche, eine seiner Spezialitäten: Raclette.

Oranienstraße 26 ⭐ [J4–K4]
Diese Straße ist das Zentrum des gesamten Kiezes. Ein Spaziergang vom Oranienplatz bis zum Görlitzer Bahnhof führt vorbei an persischen, indischen, japanischen Restaurants, italienischen Cafés, Bioladen, schrägen Kneipen, türkischen Nippeskaufhäusern, afrikanischen Telefonshops, libanesischen Reisebüros und orginellen Klamottenläden. Wohl nirgends sonst ist Berlin so bunt.

Restaurants

- Direkt neben der Schiffsanlegestelle lockt die **Ankerklause**, ein entspannter Szene-Trinkschuppen [K5] (Kottbusser Damm 104/Ecke Maybachufer, 10967, Tel. 693 56 49; Di–So ab 10, Mo ab 16 Uhr bis in die Nacht).
- Am gegenüber liegenden Ufer des Landwehrkanals, dem Paul-Lincke-Ufer, reihen sich zahlreiche gemütliche Szenecafés und Restaurants aneinander: Gourmets sollten unbedingt im Horváth auf kulinarische Entdeckungsreise gehen – 2011 bekam es mit Küchenchef und jetzigem Inhaber Sebastian Frank seinen ersten Michelin-Stern [K5] (€€€, Paul-Lincke-Ufer 44a, 10999, Tel. 61 28 99 92, Mi–So 18 bis 23 Uhr).
- Das **Café am Ufer** [K5] (Paul-Lincke-Ufer 42) ist beliebt zum Frühstücken.
- In einer Seitenstraße des Paul-Lincke-Ufers serviert Peer Kusmagk in seinem kleinen, eng gestellten Restaurant mit Kamin **La Raclette** [K5] (Lausitzer

Restaurant

- Das Alt-Berliner Wirtshaus **Henne** € [J4–K4] ist »die« Adresse für halbe Hähnchen (Leuschnerdamm 25, 10999, Tel. 6147730, www.henne-berlin.de, Di–Sa ab 18, So ab 17 Uhr).

Wellness

Wellness nur für Frauen gibt es im Hinterhof der Mariannenstr. 6, im **Hamam**,

---

Tour durch Kreuzberg und Friedrichshain

Tour ⑪

Vom Kottbusser Tor nach Friedrichshain

22 Kottbusser Tor
23 FHXB Friedrichshain-Kreuzberg Museum
24 Ballhaus Naunynstraße
25 Maybachufer
26 Oranienstraße
27 Künstlerhaus Bethanien
28 Oberbaumbrücke
29 East Side Gallery
30 O₂ World
31 Simon-Dach-Straße
32 Volkspark Friedrichshain

Karte S. 145 Tour 11: Kottbusser Tor nach Friedrichshain **Szeneviertel**

dem Türkischen Bad des Frauenzentrums **Schokofabrik** (10997, Tel. 615 14 64, www.hamamberlin.de, Di bis So 12–23, Mo 15–23 Uhr, 16 €/3 Std.). [K4]

Künstlerhaus Bethanien 27 [K4]

Friedrich Wilhelm IV. ließ 1847 auf dem Schmuckmarkt Berlins die Diakonieanstalt Bethanien errichten. In dem ehemaligen Krankenhaus sind bislang das Künstlerhaus Bethanien mit seinen Ateliers und Künstlerwerkstätten sowie eine Musikschule und eine türkische Bibliothek untergebracht. Das Künstlerhaus, bekannt für seine interessante Ausstellungen, hat jedoch sein bisheriges Domizil verlassen. Im Sommer 2010 zog es in ein neues

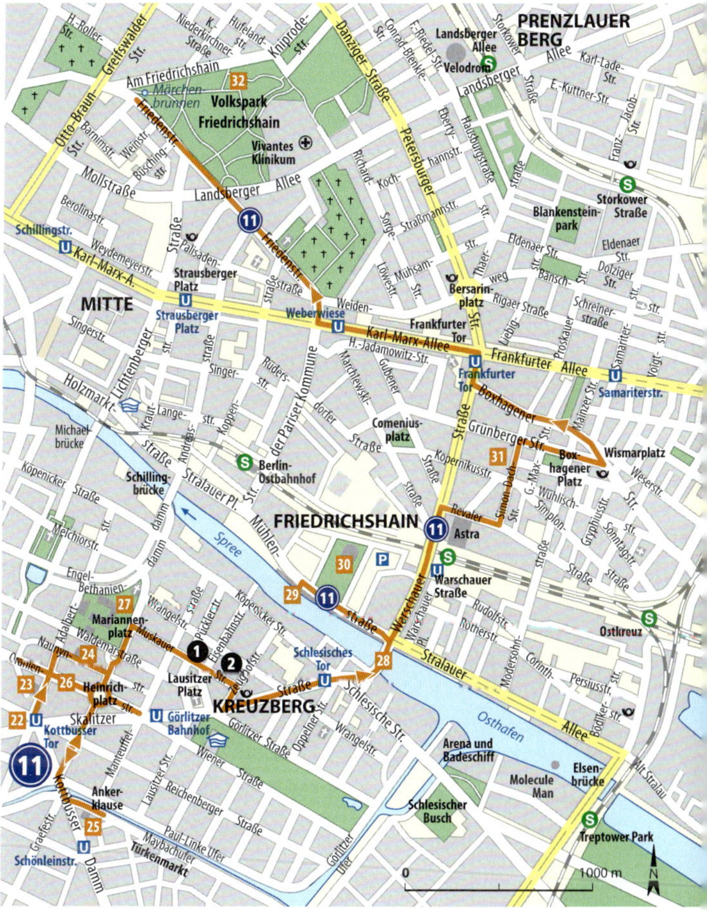

Atelier- und Ausstellungszentrum (Kottbusser Str. 10, 10999, Tel. 616 90 30, Di–So 14–19 Uhr).

Zwischenstopp: Restaurants

Markthalle Neun € ❶ [K4]
Auf kulinarische Entdeckungsreise kann man in der neu belebten, historischen Markthalle zum »Street Food Thursday« (Do 17–22 Uhr) gehen; Wochenmarkt Fr, Sa 10–18 Uhr.
- Eisenbahnstr. 42–43 | 10997
  www.markthalleneun.de

Berlin steht auf Wiener Schnitzel, ein angesagter Österreicher ist das **Jolesch** €€ ❷ [K4–L4] mit einer gelungenen Mischung aus zeitgemäßem Gasthaus und Weinstube.
- Muskauer Str. 1 | 10997
  Tel. 612 35 81 | jolesch.de
  Mo–Fr 11.30–24, Sa/So 10–24 Uhr

Oberbaumbrücke 28 [L4]

Das imposanteste Brückenbauwerk Berlins (Ende des 19. Jhs.) im neoromanischen Stil mit zwei burgenähnlichen Türmen verbindet Kreuzberg und Friedrichshain über die Spree. Während der Teilung Deutschlands verlief quer über die Brücke die Grenze zwischen West- und Ostberlin. Mitte der 90er-Jahre wurde die Brücke aufwendig saniert, seitdem verläuft der Straßenverkehr und die U-Bahnlinie Ⓤ 1 wieder von West nach Ost. Von der Mitte der Brücke hat man einen guten Blick auf die am Ostufer liegende East Side Gallery im Norden, nach Süden fällt der Blick auf die Treptowers und die in der Spree verankerte Skulptur Molecule Man. 50 Dinge ㉛ › S. 15.

East Side Gallery 29 ★ [L4]

Auf einer Länge von 1,3 km entstand 1990 aus einem Stück der Berliner Mauer die East Side Gallery an der Mühlenstraße (10243); 118 Künstler wirkten an dem Projekt mit (virtuelle Mauerspaziergänge: www.die-berliner-mauer.de). Die Gallery steht unter Denkmal-

---

SEITENBLICK

Mediaspree

Beiderseits der O$_2$ World und beiderseits der Spree möchte der Senat im ehemaligen Grenzraum zwischen Jannowitz- und Eisenbrücke mit »Mediaspree« ein ganz neues Stadt-Quartier mit Geschäftshäusern, Hotels und Komfort-Wohnungen entwickeln. Einige bereits fertig gestellte Objekte zählen schon jetzt zu »Mediaspree«, so haben im ehemaligen Eierkühlhaus und Getreidespeicher in der Stralauer Allee Universal Music und einige Medienfirmen ihren Sitz. Direkt neben an eröffnete das Musikhotel »nhow«, in dem es auch zwei Tonstudios gibt und man sich Gipson-Gitarren ausleihen kann.

In der nahe gelegenen Holzmarktstraße ist das Radialsystem V [K3] einer der angesagtesten Orte für avantgardistische Kunst, er hat sich zu einem Zentrum für Tanz, Musik, Theater und Medien entwickelt › **S. 51** (Holzmarktstr. 33, 10243, Tel. 28 87 88 50, www.radialsystem.de).

schutz. Dennoch hatten in den letzten Jahren nicht nur die Gemälde, sondern vor allem die Betonsegmente gelitten. 2009 wurde die East Side Gallery saniert, viele der ehemaligen Künstler kamen nach Berlin und malten ihre Bilder erneut an die Mauer. Wegen Erschließungsmaßnahmen ist sie jedoch stellenweise gefährdet. **50 Dinge** (23) › S. 15.

O₂ World 30 [L4]

In unmittelbarer Nähe der Gallery wurde im September 2008 die O₂ World eröffnet, eine Halle für knapp 15 000 Zuschauer. Der Eishockeyclub Eisbären Berlin und die Basketballer von Alba Berlin haben hier ihre neue Heimstätte. Hier finden auch Konzerte statt (O₂-Platz 1, 10243, Tel. 20 60 70 88 99, www.o2world-berlin.de).

Simon-Dach-Straße 31 ★ [M3–M4]

Fußläufig bietet sich für die Feier nach dem Event in der O₂-World der Szene-Kiez Friedrichshain rund um den **Boxhagener Platz** an. Vor allem die Simon-Dach-Straße ist eine von jüngerem Publikum stark frequentierte Kneipenmeile. Allerdings müssen nach Anwohnerprotesten in den letzten Jahren im Sommer die Tische rechtzeitig reingestellt werden.

Restaurant

In beiden **Papayas** €–€€ [M3] wird sehr gute thailändische Küche serviert.
• Krossener Str. 11 und 15 | 10245 Tel. 29 77 12 31 | 74 07 82 35 Jeweils tgl. 12–23 Uhr

Die East Side Gallery

Zum Volkspark Friedrichshain 32 [K2–L2]

Auf dem Weg zur grünen Oase bietet sich ein Bummel über die **Karl-Marx-Allee** mit ihren Prachtbauten › S. 93 an.

Der Volkspark Friedrichshain ist dann ein guter Platz, um sich eine Pause zu gönnen. Der Park war die erste kommunale Grünanlage der Stadt und bot bereits ab Mitte des 19. Jhs. den Bewohnern der umliegenden Mietskasernen Erholungsmöglichkeiten. Kinder lieben besonders den Märchenbrunnen mit seinen Skulpturen, die beliebte Motive aus den Grimmschen Märchen darstellen. Entspannung findet man auch auf der Terrasse des **Cafés Schoenbrunn**: eine lauschige Parklocation mit ordentlicher Ganztagsküche und großem Biergarten (Am Schwanenteich im Volkspark Friedrichshain, 10249, Tel. 453 05 65-25, www.schoenbrunn.net, tgl. 10–1 Uhr).

AUSFLÜGE & EXTRA-TOUREN

Kleine Inspiration

- **Eine schöne Bootsfahrt** auf dem Müggelsee ab Friedrichshagen bis zur Woltersdorfer Schleuse › S. 150
- **Einen Gang über und Blick von** der legendären Glienicker Brücke › S. 158
- **Ein Bummel durch das Holländische Viertel** in Potsdams Innenstadt › S. 164
- **Im Schloss Cecilienhof** weltpolitisch bedeutsamen Ereignissen nachspüren › S. 165
- **Filmpark Babelsberg** – nicht nur für Kinder ein Vergnügen › S. 166

Ausflüge

Köpenick und Umgebung

> **Verlauf: Berlin-Zentrum › Alt-Köpenick › Friedrichshagen › Müggelsee**
>
> **Karte:** Seite 150
> **Dauer:** Mindestens 6 Stunden
> **Verkehrsmittel:**
> - Aufgrund der relativ großen Entfernungen zwischen den Sehenswürdigkeiten bewältigt man die Strecke am besten mit dem Auto oder mit S-Bahn und Fahrrad.
> - Wer sich nur das Köpenicker Schloss und die Altstadt ansehen möchte, kann mit der Ⓢ 3 vom Ostbahnhof bis zum Bahnhof Köpenick fahren (Richtung Erkner). Friedrichshagen liegt noch zwei Stationen weiter.
> - Auch mit den Ausflugsschiffen von Stern und Kreisschiffahrt › S. 25 sind die Altstadt und der Müggelsee zu erreichen. Im Sommer mehrmals tgl. vom Hafen Treptow, reine Fahrtzeit hin und zurück ca. 3 1/2 Std. Fahrtunterbrechung möglich. Im Winter kein Betrieb.

Köpenick ist der größte Berliner Bezirk im Südosten der Hauptstadt, weist aber die geringste Siedlungsdichte auf; seit 2001 ist er mit dem Nachbarbezirk Treptow zusammengelegt. An manchen Stellen wirkt

Das Chinesische Teehaus im Park Sanssouci

Köpenick richtig lauschig, es ist aber an anderen Orten auch noch erkennbar, dass der Bezirk einst ein bedeutender Industriestandort war. Beliebt ist im Sommer bei Sonnenanbetern und Wassersportlern der Müggelsee. Dieser Ausflug vom Schloss in der Köpenicker Altstadt hinaus zu Wald und Seen zeigt die Hauptstadt von einer überraschend idyllischen Seite.

Zwischen Juni und September lockt das KÖPENICKER BLUES & JAZZFESTIVAL Musikfreunde in die Altstadt.

Alt-Köpenick

Die Köpenicker Altstadt liegt auf einer Insel am Zusammenfluss von Dahme und Spree. Der geschlossene spätmittelalterliche Stadtkern geht auf die älteste Niederlassung im Berlin-Brandenburger Raum zurück: Schon in der jüngeren Steinzeit entstanden hier die ersten Hütten, im 10. Jh. bauten die Slawen eine Wasserburg. Ihr Anführer war Jacza de Copnik, auf den der Name Köpenick zurückgeführt wird.

Die restaurierte Altstadt mit ihren kleinen, verwinkelten Straßen und Gassen ist denkmalgeschützt. Hauptsehenswürdigkeit im historischen Zentrum ist das **Köpenicker Rathaus**, ein im Stil der Märkischen Backsteingotik errichteter Bau mit trutzigem Turm (Alt-Köpenick 21, 12555). Über die Stadt(teil)geschichte Köpenicks von den Anfängen bis zur Gegenwart kann man sich im **Museum Treptow-Köpenick** informieren, das in einem Fachwerkhaus aus dem Jahr 1665 untergebracht ist (Alter Markt 1, 12555, Tel. 902 97 33 51, Di/Mi 10–16, Do 10–18, So 14–18 Uhr, Eintritt frei).

Köpenicker Stadtschloss 1

Eine breite Holzbrücke führt zum Schloss, das ab 1677 im Auftrag des späteren Preußenkönigs Friedrich I. von Rutger van Langevelt im holländischen Barockstil auf der Dahmeinsel errichtet wurde. Als Prunkstück gilt der **Wappensaal**. Die Wände und Deckenfelder sind mit Stuck überzogen, dazwischen prangen die Wappen der Brandenburg-Kurmärkischen Länder. Hier verurteilte 1730 das Kriegsgericht den desertierten Oberstleutnant Kronprinz Friedrich dazu, der Hinrichtung seines Freundes Katte beizuwohnen.

Das Schloss ist seit seiner Sanierung ein weiterer Standort des **Kunstgewerbemuseums**. Unter dem Motto »Raumkunst« präsentiert es über 500 Exponate aus Renaissance, Barock und Rokoko, darunter die Möbelsammlung und das Silberbuffet, das König Friedrich I. für sein Berliner Stadtschloss anfertigen ließ (Auf der Schloßinsel 1, Tel. 266 42 42 42, Di–So 11–17 Uhr, 6 €, erm. 3 €).

Köpenick und Umgebung

1 Köpenicker Stadtschloss
2 Kietzer Vorstadt
3 Wasserwerk Friedrichhagen

Kietzer Vorstadt 2

Nahe des Schlosses liegt die ehemalige Fischersiedlung Kietzer Vorstadt. In der kleinen Straße Kietz, die dem Viertel seinen Namen gab, prägen Häuschen mit herabgezogenen Dächern das Bild. Einige stammen im Kern aus dem 18. Jh

Solarbootpavillon

Im Sommer kann man (ohne Bootsführerschein) mit Solarbooten auf Dahme, Spree und dem Müggelsee schippern – ein herrliches Vergnügen (Müggelheimer Straße 1d, 12555, Tel. 01 60/630 99 97, www.solarwaterworld.de, ab 10 €/Std.).

Restaurants
Chocolaterie Catherine
In ihrem hübschen Café mit nur zwölf Plätzen offeriert Chocolatière Kathrin

Karte S. 150

Köpenick und Umgebung **Ausflüge**

Weimar hausgemachte Tafelschokoladen etwa mit Cranberries oder Chili bestückt sowie Pralinen, alles ohne Konservierungsstoffe.
- Grünstr. 17 | 12555 | Tel. 68 32 76 28
  www.chocolaterie-catherine.de
  Mo–Fr 10–18, Sa 10–14 Uhr

Freiheit 15 €€
Gegenüber der Baumgarteninsel findet man Stadtteilkultur par excellence: Eine Schulturnhalle von 1907 wurde in eine Kulturbühne mit angeschlossener Gastronomie umgewandelt. Der »Ufergarten« ist von April–Sept. geöffnet, die »Duke Bar« Mo–Sa ab 20 Uhr.
- Freiheit 15 | 12555 | Tel. 65 88 78 25
  www.freiheit15.com

SpreeArche €
Ein kleines Hausboot-Restaurant auf der Müggelspree. Wanderer wie Bootsfahrer können sich hier mit Schmankerln stärken. Wer per pedes kommt, wird mit einer Seilfähre abgeholt.
- Müggelschlößchenweg 0 | 12559
  Tel. 01 72/304 21 11
  www.spreearche.de
  April–Okt. tgl. ab 12 Uhr,
  Nov–März Sa/So ab 12 Uhr

Friedrichshagen

Der Ortsteil Friedrichshagen gewann Ende des 19. Jhs. als Kurort mit Solebad und Trinkanstalt für Sommerfrischler an Bedeutung. Am Ort wirkte der Friedrichshagener Kreis, ein naturalistischer Schriftstellerzirkel, dem u. a. Wilhelm Bölsche und Bruno Wille angehörten. Als Gäste stießen Gerhart Hauptmann, Erich Mühsam, August Strindberg und Frank Wedekind dazu.

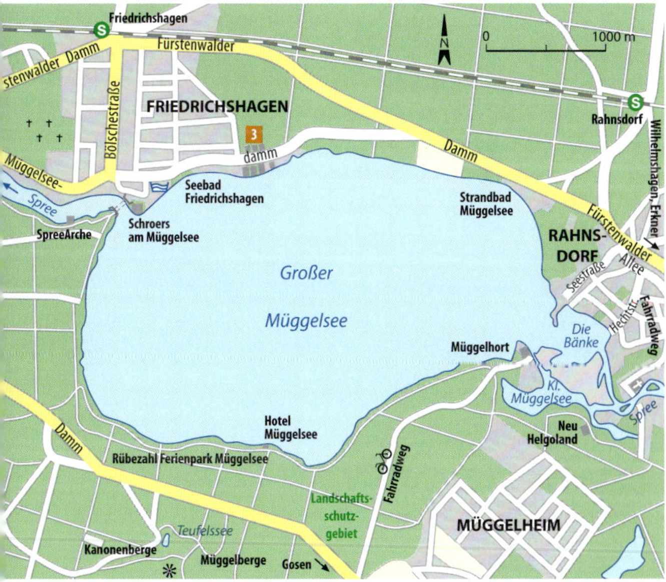

Das Köpenicker Rathaus, im Stil der Backsteingotik erbaut

Beim traditionellen **Kneipenmusikfest** im März können Musikfreunde von Lokal zu Lokal ziehen, verschiedene Bands servieren Musik von Jazz über Beat und Blues bis zu Pop.

Am Müggelseedamm 307 hat ein bedeutendes Industriedenkmal, das **Wasserwerk Friedrichshagen** 3, seine Pforten für Besucher geöffnet. Als die Trinkwasserversorgung der Reichshauptstadt um 1890 nicht mehr gewährleistet war, erbaute der englische Ingenieur Henry Gill die Anlage am Nordufer des Müggelsees. Seitdem werden auf dem 55 ha großen Areal täglich aus über 300 Tiefbrunnen 400 000 m³ Wasser gefördert. Die technischen Backsteinbauten, die Arbeiterwohnungen im englischen Landhausstil – sie schaffen eine ganz eigene Atmosphäre. Das Museum im Wasserwerk in-

> **SEITENBLICK**
>
> ### Der Hauptmann von Köpenick
> Köpenick war 1906 in aller Munde, als der arbeitslose Schuster Wilhelm Voigt gewaltfrei das Rathaus erstürmte, den Bürgermeister Langerhans verhaftete und die Stadtkasse beschlagnahmte. Vorher hatte sich Voigt in der Militärstadt Potsdam die Uniform eines preußischen Hauptmanns geborgt. Vier Tage später requirierte er in voller Montur eine Wachmannschaft von der Straße weg und schüchterte die Rathausbeamten in schneidigem Kommandoton ein. Mit dieser genialen Tat führte Voigt den preußischen Kadavergehorsam ad absurdum.
>
> Kaiser Wilhelm II. zeigte sich amüsiert und begnadigte den »Hauptmann« nach zwei Jahren Knast. Voigt war berühmt geworden und bereiste fortan die Welt, um in Varietés und Kneipen seine Köpenickiade vorzuführen.
>
> Carl Zuckmayer widmete ihm 1931 ein Theaterstück und der Stadtteil macht ihn zu barer Münze: Die Verhaftungsszene wird im Juni und Juli zum Auftakt des »Köpenicker Sommers« nachgespielt, im »Hauptmannszimmer« im Rathaus berichtet eine kleine Dauerausstellung von Voigts Streich (Alt Köpenick 21, 12555, Mo–Fr 8–18, Sa/So 10–18 Uhr, Eintritt frei), und der örtliche Touristenverein veranstaltet vor dem Rathaus jede Woche ein »Hauptmannsspektakel« (Mi und Sa 11 Uhr).

Karte S. 150

Köpenick und Umgebung **Ausflüge**

formiert über die Geschichte der Wasserver- und Abwasserentsorgung (Müggelseedamm 307, 12587, Tel. 86 44 76 95, www.museum-im-wasserwerk.de, So–Do 10–16 Uhr, Eintritt 2,50 €, erm. 1,50 €).

Am Großen Müggelsee

Man kann die Tour per Rad mit der Fähre über die Spree in Rahnsdorf oder per Auto die Fürstenwalder Allee stadtauswärts über Wilhelmshagen und Erkner nach Müggelheim zum Großen Müggelsee fortsetzen.

Dieses von der Spree durchflossene Gewässer ist – bei nur 8 m Tiefe – mit 7,5 km² der größte Berliner See. Selbst im Sommer herrscht hier kein Gedränge. Es locken mehrere Freibadestellen neben dem **Strandbad Müggelsee** (Fürstenwalder Damm 838, 12589, derzeit kein Strandbadbetrieb) und dem **Seebad Friedrichshagen** (Müggelseedamm 216, 12587, www.seebad-friedrichshagen.de). Es empfiehlt sich ein schöner, 6 km langer Spaziergang am Südufer zwischen dem Spreetunnel (nur Fußgänger) am Westufer und der Anlegestelle Müggelhort am Südufer.

Direkt an der Anlegestelle der Fähre zwischen Müggelheim und Rahnsdorf, an der auch die Ausflugsdampfer halten, liegt die traditionsreiche Ausflugsgaststätte und Hotel **Neu Helgoland** (€, 12559, Neuhelgoländer Weg 1, www.neu-helgoland.de, tgl. ab 11 Uhr, im Winter Mo/Di geschl., – regelmäßig Musikveranstaltungen). Man sitzt lauschig am Wasser unter Bäumen.

! Erstklassig

Gratis entdecken

- **Stadtführung ab Brandenburger Tor** [G3], deren Führer man vor Ort am roten T-Shirt erkennt. Tgl. um 11 Uhr, Dauer 3,5 Std.
- In der SPD-Parteizentrale, dem **Willy-Brandt-Haus** [H4], finden Kunstausstellungen, Lesungen und Konzerte statt. Stresemannstr. 28 | 10963 | Kreuzberg www.willy-brandt-haus.de Di–So 12–18 Uhr
- Die Kunstsammlung **Daimler Contemporary** [G4] präsentiert in Wechselausstellungen auf 600 m² Kunst des 20. Jhs. Alte Potsdamer Straße 5 | Haus Huth 10785 | Mitte | www.sammlung.daimler.com | Mo–So 11–18 Uhr
- Die **öffentliche Buslinie 100** pendelt zwischen Bahnhof Zoologischer Garten und Alexanderplatz – die preiswerteste Gelegenheit, eine Stadtrundfahrt im Doppeldeckerbus zu machen. Investieren müssen Sie in einem Fahrschein AB, Dauer ca. 60 Min.
- Im **Museum in der KulturBrauerei** [J1] in Prenzlauer Berg erhält man Einblick in den Alltag in der DDR. Knaackstraße 97 10435 | www.hdg.de/berlin/ Di–So 10 bis 18, Do bis 20 Uhr
- **Woltersdorfer Schleuse** – vom S-Bahnhof Rahnsdorf Ⓢ 3 fährt die Tram 87 durch reizvolle Landschaft zur Schleuse. Dort kann man baden, Boot fahren und sich in Lokalen stärken.

153

Ab Friedrichshagen kann man auch eine schöne Bootsfahrt zur **Gaststätte Rübezahl** (12559, Müggelheimer Damm 143, tgl. 11.30 bis 22 Uhr), die im Winter sogar eine kleine Eishalle betreibt, und weiter zur **Woltersdorfer Schleuse** machen. Die Fahrt kann an allen Stationen unterbrochen werden. Vom Lokal führen Wanderwege in den **Köpenicker Forst** und zum **Müggelturm**.

Havel und Wannsee

> **Verlauf: Berlin-Zentrum › Bahnhof Wannsee › Pfaueninsel › Glienicker Brücke und Schloss**
>
> **Karte:** Seite 156
> **Dauer:** Mindestens 6 Stunden
> **Verkehrsmittel:**
> - Den Wannsee erreicht man am besten mit der Ⓢ 1 oder Ⓢ 7 bis Bahnhof Wannsee. Zur Anlegestelle der Pfaueninsel-Fähre nimmt man dort den Bus 316 oder 218.
> - Für einen Ausflug rund um die Glienicker Brücke und die Pfaueninsel bietet sich ein Fahrrad an.

Berlins Südwesten ist nicht nur die beliebteste und exklusivste Wohngegend der Hauptstadt, sondern hat besonders Ausflüglern einiges zu bieten. Schließlich gehört die Landschaft um Havel und Wannsee zum UNESCO-Welterbe.

Für einen entspannten Tag im Grünen sind der Wannsee und die Pfaueninsel das Richtige. Eine herrliche Parklandschaft zum Spazierengehen breitet sich rund um Schloss Glienicke aus. Hinter der Glienicker Brücke beginnt bereits Potsdam.

Der Große Wannsee ★

Am Großen Wannsee erstreckt sich das klassische Naherholungsgebiet im Westen der Stadt, das Ostufer leider ohne Uferpromenade.

Dafür liegt hier das unter Denkmalschutz stehende Strandbad Wannsee mit seinem fast 1,5 km langen, breiten Badestrand, und vom Havelstrand kann man die Boote auf dem Wasser betrachten. Am südwestlichen Ufer führt hingegen ein schöner Spazierweg immer am Wasser entlang bis zur Glienicker Brücke.

Im **Haus der Wannsee-Konferenz** 1 fand im Januar 1942 die so genannte Wannsee-Konferenz zur »Endlösung der Judenfrage« statt, in deren Folge der organisierte Völkermord an den Juden eingeleitet wurde. Seit 1992 ist die Villa eine Gedenk- und Bildungsstätte (Am Großen Wannsee 56-58, 14109, Tel. 80 50 01-0, www.ghwk.de, tgl. 10 bis 18 Uhr, öffentliche kostenlose Führungen Sa, So 16+17 Uhr, Bus 114 vom Bahnhof Wannsee).

Weiter südlich präsentiert sich die **Liebermann-Villa** 2, das restaurierte Sommerhaus samt Garten von Max Liebermann. Im Inneren des Hauses sind Gemälde und persönliche Gegenstände des berühmten Berliner Impressionisten zu sehen (Colomierstr. 3, 14109, Tel. 805 85 90-0, Mi–Mo 11–17 Uhr; April–Sept. Mi–Mo 10–18, Do, So 10–19 Uhr; Führungen: Sommer Sa/So, 14 Uhr; www.liebermann-

Havel und Wannsee **Ausflüge**

Das Schloss auf der Pfaueninsel

villa.de, Eintritt Winter 6 €, Sommer 7 €, bis 14 J. frei, Bus 114 vom Bahnhof Wannsee).

Kleiner Wannsee

Der Kleine Wannsee ist ein Refugium für Wassersportler. Seine Ufer werden von zahlreichen Bootshäusern gesäumt, zudem sind sie ein beliebtes Spazierrevier. Am Südufer findet man auf dem Grundstück Bismarckstraße 3 das schlichte **Grab Heinrich von Kleists** 3. Hier begingen der Dichter und seine Lebensgefährtin Henriette Vogel im November 1811 Selbstmord.

Pfaueninsel 4 ★

Die 67 ha große Fläche ist ein idyllischer Landschaftspark im südlichen Lauf der Havel; sie steht unter Naturschutz. Erreichbar ist das Eiland mit der Fähre, die ganzjährig in kurzen, etwa 15-minütigen Abständen, verkehrt (Fähre: Nov.–Feb. 10–16, März und Okt. 9–18 Uhr, April und

Sept. 9–19, Mai–Aug. 8–21 Uhr, Ticket 3 €, erm. 2,50 €; Autos und Fahrräder müssen auf dem Parkplatz am Nikolskoer Weg bleiben).

HUNDE dürfen nicht auf die Insel.

Erstmals gestaltet wurde die Pfaueninsel ab 1793 von Friedrich Wilhelm II., dem Neffen und Thronfolger Friedrichs des Großen. Er kaufte das Areal, ließ es zu einem Park mit Meierei, Kastellanswohnungen, Pfauenstall und Federviehhaus umgestalten und überließ es seiner Geliebten Wilhelmine Encke,

einen Entwurf für das weiße **Schlösschen** anzufertigen (April bis Okt. Di–So 10–17.30 Uhr, Besuch nur mit Führung, Eintritt 3 €, erm. 2,50 €). Die Dame bewies guten Geschmack: Vor allem vom Wasser aus ist das als Ruine konzipierte Bauwerk ein Blickfang. Das Innere bringt die Natursehnsucht der damaligen Zeit zum Ausdruck: Der Besucher wird z. B. durch ein wie eine Bambushütte ausgestattetes Zimmerchen, das **Otaheitische Kabinett**, geführt. Fast alle Möbel stehen noch an der Stelle, für die sie vorgesehen waren. Nach dem Tod seines

Havel und Wannsee

1 Haus der Wannsee-Konferenz
2 Liebermann-Villa
3 Kleist-Grab
4 Pfaueninsel
5 St. Peter und Paul

Karte S. 156

Havel und Wannsee **Ausflüge**

Vaters erkor Friedrich Wilhelm III. mit seiner Frau Königin Luise das Idyll zu seinem Lieblingsaufenthalt.

Das Paar hatte Spaß an einem **Palmenhaus**, für das es eine Pflanzensammlung aus Paris herbeischaffen ließ. Dazu wurden die ausgefallensten Tiere aus aller Welt erworben. 1822 gestaltete Peter Joseph Lenné die Insel in einen Landschaftsgarten um. Die bunte Menagerie kam dem nachfolgenden Regenten Friedrich Wilhelm IV. wohl merkwürdig vor, weshalb er 1842 fast alle Tiere in den neu gegründeten Berliner Zoo überführen ließ.

Der **Kunckelstein** am Ostufer der Pfaueninsel erinnert an den ersten Bewohner, Johann Kunckel von Löwenstein. Der Große Kurfürst richtete ihm ein Laboratorium ein, in dem er Goldrubinglas herstellte. Mit dem Tod des Großen Kurfürsten versiegte Kunkels Geldquelle und sein Glück verließ ihn gänzlich, als sein Labor abbrannte. Daraufhin verließ Kunkel das Kurfürstentum Brandenburg fluchtartig.

An fünf Hör-Stationen auf der Insel kann man noch mehr über die Geschichte erfahren. Kostenloser Download: www.luise.tomis.mobi/.

6 Glienicker Brücke
7 Schloss Glienicke

Restaurant

Wirtshaus zur Pfaueninsel €€
Bürgerliche Kost und Berliner Küche, großer Biergarten.
- Am Fähraleger Pfaueninsel
  Pfaueninselschaussee 100 | 14109
  Tel. 805 22 25
  www.pfaueninsel.de
  Mi–So ab 10 Uhr

St. Peter und Paul 5

Das Geläut der Kirche St. Peter und Paul am Nikolskoer Weg schallt von der Anhöhe zur Pfaueninsel hinüber. Die 28 Bronzeglocken in den Turmloggien des Gotteshauses spielen die berühmten Melodien der Potsdamer Garnisonskirche, »Üb' immer Treu und Redlichkeit« sowie den Choral »Lobet den Herren« (Nr. 17, 14109, www.kirche-nikolskoe.de).

Hinter der Kirche St. Peter und Paul liegt der kleinste Friedhof Berlins, auf dem nur Personen beerdigt werden, die 15 Jahre und mehr auf Nikolskoe oder der Pfaueninsel gelebt haben.

Glienicker Brücke 6 ★

Wer die Königstraße weiter Richtung Potsdam fährt oder am Ufer entlang läuft, gelangt zur Glienicker Brücke, die im Laufe ihrer Geschichte ein wechselvolles Schicksal erfuhr: Nach der Sprengung durch deutsche Soldaten in den letzten Kriegstagen 1945 wurde sie 1950 wieder aufgebaut und in »Brücke der Einheit« umgetauft. Mit dem Mauerbau im August 1961 endete dann hier der »Westen«. Als Schauplatz spektakulären Austauschs von Agenten wurde die Brücke weltberühmt.

Von der Brücke hat man einen wundervollen Rundumblick in die großartige Potsdamer Kulturlandschaft. Sichtachsen verbinden alles: Im Süden thront Schloss Babelsberg

Die Glienicker Brücke wurde als Schauplatz spektakulären Austauschs von Agenten weltberühmt

Havel und Wannsee **Ausflüge**

auf einer Anhöhe, von Norden grüßt die Sacrower Heilandskirche, im Osten das Schlösschen Glienicke. **50 Dinge** (28) › S. 15

Klein Glienicke ⭐

Ursprünglich stand an der Stelle von **Schloss Glienicke** 7 ein Landhaus, das Staatskanzler Hardenberg bewohnte. Prinz Carl von Preußen, der dritte Sohn Königin Luises, beauftragte 1824 Karl Friedrich Schinkel mit dem Umbau im klassizistischen Stil (Königstr. 36, 14109, Tel. 80 58 67 50; Nov.–März, Sa, So, Fei 10–17 Uhr, Besichtigung nur mit Führung; April–Okt. Di–So 10 bis 18 Uhr, Di–Fr nur mit Führung, im Schloss finden auch regelmäßig Konzerte statt).

Wer den Schlosshof mit dem pompejanischen Bodenpflaster und den vielen antiken Spolien an den Wänden an einem Sommertag betritt, fühlt sich in Italien. Über das Johannitertor führen schwungvoll angelegte Wege immer tiefer in den Garten hinein.

Peter Joseph Lenné konzipierte den weitläufigen **Landschaftspark** nach englischem Vorbild. Gleich an der Grenze zur Königstraße liegen die »Kleine« und die »Große Neugierde«, ein kleiner Teepavillon nach Schinkels Entwurf und eine überdachte Rotunde auf einer Anhöhe.

Nördlich davon, am Havelufer des Jungfernsees, steht das Casino, das Schinkel 1824 in ein Billardhaus umbaute. Die weißen Säulentrümmer im Rasengrund ließ Prinz Carl aus dem Mittelmeerraum, vermutlich vom Poseidontempel auf Kap Sunion, herbeischaffen.

Etwas tiefer im Park errichtete der Architekt Ferdinand von Arnim 1850 den Klosterhof, für den Prinz Carl Teile eines Klosters auf der Insel Certosa bei Venedig erwarb.

SEITENBLICK

Museen in Dahlem ⭐

Das **Ethnologische Museum** zeigt sehr schön gestaltete Ausstellungen über die Kulturen Altamerikas, Asiens, Afrikas und der Südsee-Inseln. Ebenfalls im Museumskomplex lockt das **Museum für Asiatische Kunst.** Es vereint die Sammlungen des Museums für Ostasiatische Kunst und des Museums für Indische Kunst. Gezeigt wird eine der weltweit bedeutendsten Sammlungen des indo-asiatischen Kulturraumes vom 4. Jahrtausend v. Chr. bis in die Gegenwart. Zudem werden die Kunst Chinas, Japans und Koreas in jeweils eigenen Galerien thematisiert. In diesen Museen kann man problemlos einen ganzen Tag verbringen. Museumskomplex: Lansstr. 8, 14195, Di–Fr 10–17, Sa und So 11–18 Uhr, Eintritt 8 €, erm. 4 €, mit der Ⓤ 3 oder dem Bus X83 bis Dahlem-Dorf, auch Parkplätze vorhanden.

Das Museum **Europäischer Kulturen** zeigt eine der größten Sammlungen Europas zur Alltagskultur (Arnimallee 25). Ein weiteres, zwar kleines, aber hochkarätiges Museum ist das **Brücke-Museum**. Es zeigt Werke der expressionistischen Künstlergruppe (Bussardsteig 9, 14195, Tel. 831 20 29, Mi–Mo 11–17 Uhr).

Ausflüge Havel und Wannsee

Karte S. 156

Restaurant

Ein im Park schön gelegenes Restaurant mit regionaler Küche ist das Restaurant **Remise** im **Schloss Glienicke** €€. Angegliedert ist die Lutter & Wegner Weinhandlung.

- Königstr. 36 | 14109
  Tel. 805 40 00
  www.schloss-glienicke.de
  tgl. ab 11 Uhr

Potsdam

Verlauf: Berlin-Zentrum › Potsdam Hauptbahnhof › Schloss Sanssouci › Innenstadt

Karte: Seite 162
Dauer: 1 Tag
Verkehrmittel:

- Potsdam ist mit der Ⓢ 7 und der Regionalbahn (bis Haltestelle Potsdam Hbf.) aus dem Berliner Stadtzentrum in ca. 30–40 Min. zu erreichen.
- Eine schöne Alternative sind die Schiffe der Weißen Flotte oder der Stern und Kreisschiffahrt ab Anlegestelle Wannsee (Ⓢ 1, Ⓢ 7, Fahrtdauer ca. 1 Std.), in Potsdam halten die Schiffe an der Langen Brücke am Hauptbahnhof. Allerdings gibt es keinen regelmäßigen Pendelverkehr, sondern die Strecke ist Bestandteil verschiedener Ausflugsfahrten, sie kann aber dennoch separat gebucht werden (www.sternundkreis.de, www.schiffahrt-in-potsdam.de).
- Auch für Potsdam ist, aufgrund der Weitläufigkeit, die Mitnahme eines Fahrrades zu empfehlen.

Schloss Sanssouci 1 ⭐ [b2–b3]

In dem weitläufigen Park am Stadtrand Potsdams stehen gleich mehrere Schlösser, von denen das bekannteste Schloss Sanssouci ist, erbaut 1745 von Georg Wenzeslaus von Knobelsdorff im Auftrag Friedrichs des Großen und seit 1990 UNESCO-Weltkulturerbe (Maulbeerallee, 14469, www.spsg.de, Tel. 03 31/969 42 00, April–Okt. Di–So 10–18, Nov.–März Di–So 10 bis 17 Uhr, Eintritt mit Führung oder Audioguide 12 €, erm. 8 €).

Der Baumeister errichtete das als Sommersitz für die privaten Bedürfnisse Friedrichs des Großen geplante Schloss als einstöckigen Rokoko-Bau direkt auf Höhe des terrassierten Weinbergs. Dort in einer Gruft am Ostrand liegt er auch wunschgemäß begraben, allerdings erst seit 1991 (!). Im Mittelbau liegen das Vestibül und der Marmorsaal, im Ostflügel die königlichen

SEITENBLICK

Multilinguale Stadtführungen

Neuerdings kann man Potsdam mit **itour**, einem **elektronischen Stadtführer**, entdecken. Zur 1¾-stündigen audio-visuellen Stadtführung, die auf deutsch, englisch, italienisch und spanisch angeboten wird, gehören 30 Sehenswürdigkeiten (erhältlich in der Tourist-Information [c3] 14467 Potsdam, Brandenburger Str. 3, April–Okt. Mo–Sa 9.30–18, So 9.30–16, Nov.–März Mo–Fr 10–18, Sa 10–16, So 10–14 Uhr; Ausleihgebühr 7,50 € für 4 Std., Tagesausleihe für 10 €).

Karte S. 162

Potsdam **Ausflüge**

Schloss Sanssouci, der prächtige Rokoko-Bau Friedrichs des Großen

Räume, deren Einrichtung überwiegend erhalten ist, und im Westflügel mehrere Gästezimmer.

Fast 100 Jahre später ließ Friedrich Wilhelm IV. die hinteren Seitenflügel anbauen. Kaum war das Schloss fertig, ließ Friedrich sich von Knobelsdorff eine Orangerie errichten, die später zum **Neue Kammern** 2 genannten Gästeschloss mit prächtigen Festsälen umgebaut wurde.

Außerdem entstanden die **Bildergalerie** 3, der erste eigenständige Museumsneubau Deutschlands, und das **Chinesische Teehaus** 4, ein verspielter Rokokobau. In der Bildergalerie hängen zahlreiche Alte Meister von Weltruhm, darunter Bilder von Rubens, van Dyck und Caravaggio. Das **Neue Palais** 5, eine dreiflügelige Anlage mit über 200 Räumen am westlichen Ende des Schlossparks, war 1763 bis 1769 der letzte Schlossbau Friedrichs des Großen.

Doch auch Friedrich Wilhelm IV. tat sich als eifriger Bauherr hervor. Er beschäftigte mit Vorliebe die Architekten Ludwig Persius, der das Stadtbild Potsdams prägte, und August Stüler. Ergebnis dieser Zusammenarbeit sind das **Orangerieschloss** 6 und die **Friedenskirche** 7. **Schloss Charlottenhof** 8 im südlichen Teil des Parks ist hingegen ein klassizistischer Schinkel-Bau, den englischen Landschaftsgarten legte Peter Joseph Lenné an. Im Anschluss an Schloss Charlottenhof entstanden die **Römischen Bäder** 9, ein romantischer Gebäudekomplex im Stil einer italienischen Landvilla von Schinkel und Persius.

Ein Publikumsmagnet ist die alljährliche Potsdamer Schlössernacht im August. Der Park Sanssouci mit seinem preußischen Barock wird in dieser Nacht glanzvoll illuminiert.

Stadtzentrum

Das historische Zentrum lässt sich bequem per pedes erkunden. Sehenswert am **Alten Markt [c3–d3]** ist die von Schinkel 1826 entworfene und seinem Schüler Persius bis 1850 erbaute klassizistische **Nikolaikirche** 10, in der auch regelmäßig Konzerte stattfinden (www.nikolaipotsdam.de).

Einst stand hier auch das Potsdamer Stadtschloss. An dessen Stelle wurde Anfang 2014 der neu erbaute, in seiner Form an das 1959/60 gesprengte Schloss erinnernde, neue Landtag eröffnet

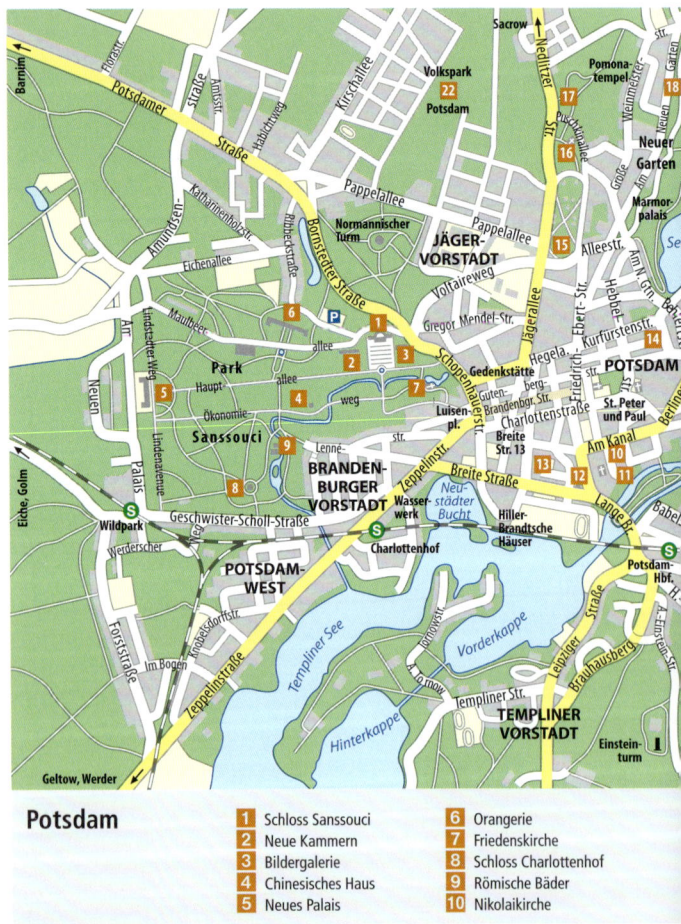

Potsdam

1 Schloss Sanssouci
2 Neue Kammern
3 Bildergalerie
4 Chinesisches Haus
5 Neues Palais
6 Orangerie
7 Friedenskirche
8 Schloss Charlottenhof
9 Römische Bäder
10 Nikolaikirche

Karte S. 162 Potsdam **Ausflüge**

(14467, Alter Markt 1). Der Brandenburger Landtag ist für die Öffentlichkeit zugänglich (Anmeldung vorab: www.landtag.branden burg.de). Das **Alte Rathaus** 11 [c3–d3], erbaut 1753 von Johann Boumann und heute das **Potsdam Museum – Forum für Kunst und Geschichte** (14467, Am Alten Markt 9, Tel. 03 31/28 96 68 68, Di–Fr 10–17, Do 10–19, Sa, So 10–18 Uhr, Eintritt 5 €, bis 18 J. frei), ist durch einen barocken Gang mit dem ehemaligen Wohnhaus des Architekten, dem **Knobelsdorffhaus**, verbunden. Knobelsdorff hat auch den **Obelisken** in der Platzmitte geschaffen.

Auf der anderen Seite der Ebertstraße steht der ehemalige Marstall, in dem heute das **Filmmuseum Pots-**

11	Altes Rathaus	16	Alexander-Newski-Kapelle	19	Kulturzentrum Schiffbauergasse
12	Filmmuseum	17	Belvedere	20	Schloss Babelsberg
13	Neuer Markt	18	Schloss Cecilienhof	21	Filmpark Babelsberg
14	Holländisches Viertel			22	Buga-Gelände
15	Alexandrowka				

Das Holländische Viertel – ein guter Ort, um sich zu stärken

dam 12 [c3] untergebracht ist, das mit seiner Dauer- und wechselnden Ausstellungen zum Thema Zelluloid und Kino einen Besuch wert ist (Breite Str. 1A, 14467).

Von dort sind es nur ein paar Schritte zum **Neuen Markt** 13 [c3] – er zählt zu den am besten erhaltenen Barockplätzen in Europa.

Das **Holländische Viertel** 14 ⭐ [c2–d2] wurde ab 1734 für holländische Handwerker und Baumeister erbaut, die König Friedrich Wilhelm I. nach Potsdam holte. Zahlreiche schmucke Läden, schöne Galerien und charmante Cafés in über 100 Backsteinhäusern laden zum Bummeln ein. Zum »Tulpenfest« im Frühjahr wandeln hier zehntausende Besucher durch ein von Tulpen dominiertes Blumenmeer.

Restaurants
Das Restaurant **Speckers Landhaus** [c2] ist die Wirkungsstätte von Steffen Johst, dem »Brandenburger Meisterkoch 2008«.
- Jägerallee 13 | 14469
  Tel. 03 31-280 43 11
  Di–Sa 12–13.45, 18–21.45 Uhr

Mit dem **good dEATs** [c2–d2] gibt es im Holländischen Viertel ein kleines veganes Genießercafé mit hausgemachten Pralinen, Cupcakes und Törtchen.
- Kurfürstenstr. 9 | 14467
  Tel. 03 31-58 39 93 06
  Di–So 10–18 Uhr

Pfingstberg und Berliner Vorstadt
Über die Friedrich-Ebert-Straße erreicht man ein weiteres städtebauliches Kleinod, die **Russische Kolonie Alexandrowka** 15 [c1–c2] (Alexandrowka 2, 14469, www.alexandrowka.de) zu Füßen des **Pfingstberges**. Dreizehn im russischen Stil als Blockhäuser verkleidete Fachwerkbauten zählt die Siedlung. Sie wurden 1826 von Friedrich Wil-

Potsdam **Ausflüge**

helm III. zum Gedenken an Zar Alexander I. gebaut.

Von hier ist es nur ein kurzer Spaziergang zur russisch-orthodoxen **Alexander-Newski-Kapelle** 16 [c1] am Fuße des Pfingstberges. Sie wurde für die Bewohner der Kolonie (die Mitglieder eines russischen Soldatenchores) erbaut und dient bis heute als Kirche (Kapellenberg, 14469). Auf dem Pfingstberg steht das stilvoll rekonstruierte **Belvedere** 17 [c1]. Von der Aussichtsterrasse des imposanten klassizistischen Gebäudes hat man bei schönem Wetter einen Blick bis weit ins Havelland hinein.

Unterhalb des Pfingstberges lohnt der **Neue Garten** einen Besuch. Hier steht ein eher unscheinbares Landschloss im englischen Stil, das **Schloss Cecilienhof** 18 ★ [d1]. Es wurde in den Jahren 1914 bis 1917 für den Kronprinzen Wilhelm und seine Gattin Cecilie erbaut. Hier wurde 1945 von den Alliierten das »Potsdamer Abkommen«, das die Neuordnung Europas nach dem Zweiten Weltkrieg regelte, unterzeichnet, das seit 2012 eine Dauerausstellung thematisiert. Das Hotel und Restaurant Cecilienhof hat den Betrieb Anfang 2014 eingestellt.

Südlich des Neuen Gartens liegt die Berliner Vorstadt. Das Areal an der **Schiffbauergasse** 19 [d2] zwischen dem Tiefensee und Heiliger See hat sich vom einstigen Industriestandort in ein kulturelles Erlebnisquartier verwandelt. Architektonisches Highlight ist der Neubau des **Hans-Otto-Theaters** mit seinem roten geschwungenen Dach (Schiffbauergasse 1, 14467, Tel. 03 31-98 11-0, www.hansottotheater.de). In der Reithalle ist die Kinder- und Jugendbühne des Theaters untergebracht. Das **Waschhaus** ist ein Konzert- und Clubstandort, im **T-Werk** sind freie Theatergruppen ansässig (www.schiffbauergasse.de).

Jüngstes architektonisches Highlight in der Berliner Vorstadt: das Hans-Otto-Theater

Ausflüge   Potsdam

Karte S. 162

Vor allem mit Kindern schön: die Biosphäre in Potsdam

Babelsberg

Auch das zauberhafte **Schloss Babelsberg** 20 [e2] im idyllischen Park lohnt einen Besuch (Park Babelsberg, 14482, tgl. 6 Uhr bis Einbruch Dunkelheit, Eintritt frei).

Der **Filmpark Babelsberg** 21 ★ [f4] ist vor allem für Kinder sehr attraktiv. Europas älteste Filmstadt bietet einen Blick hinter die Kulissen und mehr als 20 Attraktionen rund um Film und Fernsehen (Großbeerenstr. 200, 14482, Tel. 03 31-721 27 50, www.filmpark-babelsberg.de, Mitte April bis Anf. Nov. tgl. 10–18 Uhr; im Sept. Mo und Di geschl. sowie 2 Tage im Okt. Ⓢ 7 Babelsberg, von dort Bus 690, Eintritt 21 €, 4–16 J. 14 €, bis 3 J. frei, Familienkarte 60 €).

Buga-Gelände 22 [c1]

Im Volkspark auf dem Gelände der Bundesgartenschau 2001 im Norden Potsdams ist die **Biosphäre** die Attraktion. Die Tropenhalle lockt mit 20 000 Pflanzen, 12 m hohen Bäumen, Höhenweg, tropischen Regengüssen, einem originalgetreuen U-Boot-Nachbau und zahlreichen Forschungsstationen (Eingang Georg-Herrmann-Allee 99, 14469, Tel. 03 31-55 07 40, www.biosphaere-potsdam.de, Mo–Fr 9 bis 18, Sa/So 10–19 Uhr, letzter Einlass 16.30 bzw. 17.30 Uhr, Eintritt Erw. 11,50 €, Kinder 4,50–7,80 €, unter 3 J. frei; Mo ist Seniorentag: für über 60-jährige ist ein große Tasse Kaffee und ein Stück Kuchen im Eintrittspreis enthalten).

Faltkarte   Tour 12: Langes Wochenende **Extra-Touren**

Extra-Touren

 Ein langes Wochenende in Berlin

**Verlauf: Tag 1: City-West mit Ku'damm-Bummel › Bustour/Schiffstour
Tag 2: Historisches Zentrum › Hackescher Markt/Museumsinsel
Tag 3: Regierungsviertel und Potsdamer Platz › Museumsbesuch Kulturforum/Hamburger Bahnhof**

Karte: Faltkarte
Dauer: Tag 1: Startpunkt: U-Bahnhof Adenauer Platz (Ⓤ 7), Gehzeit ca. 2 Stunden; Bustour › S. 169, Schiffstour › S. 171).
Tag 2: Startpunkt: S-Bahnhof Brandenburger Tor (Ⓢ 1, Ⓢ 2, Ⓢ 25), Gehzeit ca. 2 Stunden, Endpunkt: S-Bahnhof Hackescher Markt, von dort aus Museumsbesuch oder Bummel auf der Museumsinsel.
Tag 3: Startpunkt S-Bahnhof Potsdamer Platz oder Brandenburger Tor (Ⓢ 1, Ⓢ 2, Ⓢ 25), Gehzeit ca. 2 Stunden. Endpunkt S-Bahnhof Potsdamer Platz oder, falls statt des Kulturforums der Hamburger Bahnhof besucht wird, Hauptbahnhof (zahlreiche S-Bahnlinien).
Verkehrsmittel:
Zu Fuß und öffentliche Verkehrsmittel. Innerhalb des Berliner Stadtzentrums ist das Netz öffentlicher Verkehrsmittel sehr engmaschig, so dass es möglich ist, die jeweiligen Vorschläge für den Vormittag und den Nachmittag nach Belieben anders zu kombinieren. Es empfiehlt sich der Kauf einer Tages- oder Mehrtageskarte, Tarifinformationen › S. 28.

Drei Tage Berlin haben einen hohen Erlebniswert und reichen durchaus aus, um einen ersten Eindruck von der Vielseitigkeit der deutschen Hauptstadt zu gewinnen. Individuelle Schwerpunkte können dabei immer noch gesetzt werden.

1. Tag: Vormittags steht die **City-West** mit einem Bummel über den berühmten Berlin-Prachtboulevard **Ku'damm** › S. 118 auf dem Programm, wobei natürlich ein Besuch im **KaDeWe**, dem größten und schönsten Kaufhaus Deutschlands, nicht fehlen darf › S. 122. Zum Mittagessen bietet sich das Restaurant Duke im Hotel Ellington an › S. 32, das neu eröffnete Café-Restaurant Grosz oder die Feinschmeckeretage im KaDeWe. **Nachmittags** kann man wählen zwischen einer Fahrt mit der **Sightseeing-Buslinie 100**, die an den wichtigsten Sehenswürdigkeiten im Zentrum vorbeiführt › S. 169, oder einer **Brückenfahrt**, bei der man die schönsten Seiten Berlins vom Wasser aus entdecken kann › S. 171. Abends könnte ein Besuch einer der vielen

Extra-Touren Tour 12: Langes Wochenende

Am Gendarmenmarkt steht auf der Nordseite der Deutsche und auf der Südseite der Französische Dom

Berliner Bühnen auf dem Programm stehen, z.B Oper, Theater oder Kabarett › S. 48.

2. Tag: Vormittags geht es zum Berliner Wahrzeichen schlechthin, dem **Brandenburger Tor** › S. 72, und weiter zu einem Bummel entlang der Allee **Unter den Linden** › S. 77. Wer am Vortag noch nicht genug einkaufen war, wird sicher in der **Friedrichstraße** fündig › S. 77. Weiter geht es zum **Gendarmenmarkt** › S. 78, einem zauberhaften, von zahlreichen klassizistischen Bauwerken gesäumten Platz. Mittagessen kann man am belebten Hackeschen Markt mit seinen zahlreichen trendigen Cafés und Läden, z.B im Café und Restaurant Hackescher Hof in den **Hackeschen Höfen** › S. 99. **Nachmittags** kann man sich in den Straßen rund um den **Hackeschen Markt** › S. 99 treiben lassen. Kunstinteressierte sollten eines der Museen auf der nahen **Museumsinsel** besuchen, z.B das **Pergamonmuseum** mit dem berühmten Pergamonaltar › S. 86. Am Abend lohnt eine Vorstellung im **Admiralspalast**, einem schön restaurierten Vergnügungstempel im Jugendstil mit abwechslungsreichem Programm. Wem der Sinn nach Multikulti-Szene steht, sollte sich alternativ für einen **Kneipenbummel in Kreuzberg** – Bergmannstraße oder Oranienstraße – entscheiden › S. 139, 144.

3. Tag: Vormittags geht es ins Regierungsviertel rund um den **Reichstag** › S. 102, dessen begehbare Glaskuppel ein Besuchermagnet ist, sowie zum **Potsdamer Platz** › S. 109, dem neuen heimlichen Zentrum der Stadt, das mit seiner Architektur beeindruckt. Zur Mittagspause empfiehlt sich das Vapiano (Potsdamer Platz 5) › S. 111, das mit Pasta und Salat zum Kombinieren lockt. **Nachmittags** könnte man dem **Kulturforum** › S. 112 mit der **Gemäldegalerie**, in der alte Meister von Weltrang zu sehen sind, einen Besuch abstatten. Wer sich für moderne Kunst interessiert, dem sei alternativ der Besuch des Museums für Gegenwartkunst im **Hamburger Bahnhof** empfohlen › S. 95. Abends lohnt ein **Kneipenbummel im Szeneviertel Prenzlauer Berg** › S. 131.

Falt-karte

Tour 13: Bus 100 / Bus 200   **Extra-Touren**

 # Bus 100 / Bus 200

Verlauf: Bahnhof Zoologischer Garten › Alexanderplatz und zurück (Bus 100); Bahnhof Zoologischer Garten › Alexanderplatz und zurück (Bus 200)

Karte: Faltkarte
Dauer: Mit einigen Stopps etwa ein halber Tag. Reine Fahrzeit Bus 100 28 Min., Bus 200 38 Min.
Verkehrsmittel:
Die Buslinien 100 und 200 verbinden auf ihrer Strecke einige der wichtigsten Sehenswürdigkeiten. So fahren beide Linien Unter den Linden entlang. Der normale Einzelfahrschein ist nur in eine Richtung 120 Minuten gültig. Wer die Strecke also mehrmals unterbricht, sollte eine Tages- oder Mehrtageskarte besitzen. Nach zwei Stunden ist für die Weiter- oder Rückfahrt ein neues Ticket zu lösen (Tarifinformation › S. 28).

Der 100er fährt vom **Bahnhof Zoo** über den Lützowplatz und den Großen Stern zum **Schloss Bellevue** › S. 106, dem Sitz des Bundespräsidenten, weiter zum **Haus der Kulturen der Welt** › S. 106 und zum **Reichstag** › S. 102. Von der Haltestelle S-Bahnhof Brandenburger Tor sind es nur wenige Schritte zum **Pariser Platz** › S. 73 mit dem **Brandenburger Tor** und dem **Hotel Adlon**. Weiter verläuft die Strecke Unter den Linden entlang – an der Ecke Friedrichstraße kann man aussteigen und in die **Friedrichstraße** › S. 77 und zum **Gendarmenmarkt** › S. 78 bummeln.

SEITENBLICK

Mit der M1 von der Museumsinsel zum Prenzlauer Berg
Eine weitere abwechslungsreiche Tour mit Kultur und Szene bietet die Fahrt mit der Tramlinie M1. Die Straßenbahn fährt von der **Museumsinsel am Kupfergraben** › S. 83 durch die Friedrichstraße am Friedrichstadtpalast vorbei und durch die **Oranienburger Straße** › S. 96 zum **Hackeschen Markt** › S. 99 – die nähere Umgebung mit zahlreichen Läden, Boutiquen, Cafés, Bars und Restaurant lässt sich gut erlaufen.

Weiter geht es vom Hackeschen Markt durch die szenige **Kastanienallee** › S. 132 am Biergarten Prater vorbei zur Schönhauser Allee im Bezirk **Prenzlauer Berg** › S. 131, wo die Tram unter dem Viadukt der U-Bahn verläuft. Am U-Bahnhof Eberswalder Straße kann man sich bei **Konnopke's Imbiss** mit einer typischen Berliner Currywurst für die Weiter- oder Rückfahrt oder für einen Bummel durch den Szenebezirk stärken.

Die M1 fährt noch über den S- und U-Bahnhof Schönhauser Allee weiter in den Nordosten Berlins durch **Pankow** bis nach **Niederschönhausen**.

Extra-Touren Tour 13: Bus 100 / Bus 200

Beliebter Treffpunkt: die Weltzeituhr am Alexanderplatz

Wieder zurück **Unter den Linden** geht es mit dem Bus weiter: Vorbei an der **Humboldt-Universität** › S. 80 und der **Staatsoper Unter den Linden** › S. 80 erreicht man den Schlossplatz. Gegenüber liegen der **Lustgarten** › S. 84 und der **Berliner Dom** › S. 83, dahinter sieht man die Bauten der **Museumsinsel** › S. 83. Nach **Marienkirche** › S. 90 und **Fernsehturm** › S. 90 erreicht der Bus seine Endhaltestelle am S- und U-Bahnhof Alexanderplatz.

Die Rückfahrt von dort mit dem 200er verläuft bis zur Haltestelle Unter den Linden/Ecke Friedrichstraße auf der Strecke des Busses 100. Doch kurz danach biegt er ab und fährt über die Wilhelmstraße zum **Potsdamer Platz** › S. 109. Dort kann man aussteigen, das lebendige Stadtquartier und das angrenzende **Kulturforum** › S. 112 mit Gemäldegalerie zu Fuß erkunden und an der **Philharmonie** › S. 113 wieder in den Bus einsteigen. Über die Nordischen Botschaften und den Breitscheidplatz mit der **Kaiser-Wilhelm-Gedächtniskirche** › S. 122 geht es zurück zum **Bahnhof Zoo**.

Es bietet sich also durchaus an, eine Linie für die Hinfahrt und die andere für die Rückfahrt zu benutzen, auch wenn die Fahrtstrecke Unter den Linden identisch ist.

Falt-karte

Tour 14: Die Brückenfahrt **Extra-Touren**

Die Brückenfahrt

Verlauf: Kottbusser Tor › **Deutsches Technikmuseum** › **Potsdamer Platz** › **Bauhaus-Archiv** › **Zoologischer Garten** › **Charlottenburger Tor** › **Schloss Bellevue** › **Bundeskanzleramt** › **Reichstagsgebäude** › **Museumsinsel** › **Nikolaiviertel** › **East Side Gallery** › **Oberbaumbrücke** › **Kottbusser Tor**

Karte: Faltkarte
Dauer: 3,5 Stunden
Verkehrsmittel:
Mit den Ausflugsschiffen z. B. der Reederei Riedel (www.reederei-riedel.de, Tel. 67 96 14 70, Erwachsene 21 €, Kinder 10,50 €) z. B. ab Märkisches Ufer (im Sommer tgl. 10.30 Uhr und 14.30 Uhr – 3 bis 3,5 Std.); Abendfahrten z. B. ab dem Märkischen Ufer (tgl. 19 Uhr). Zustieg an verschiedenen weiteren Anlegestellen möglich: z. B. Kottbusser Brücke im Bezirk Kreuzberg. Bis zum Märkischen Ufer in Mitte kann die Brückenfahrt auch als 2-stündige Teilfahrt erlebt werden. Auch 2015 kann es zu kurzfristigen Sperrungen des Landwehrkanals kommen.

Die sogenannte Brückenfahrt – insgesamt 63 Brücken werden unterquert – ist wohl Berlins beliebteste Schiffstour. Sie führt in einer großen Runde über Spree und Landwehrkanal (Routenänderungen wegen Sanierungsmaßnahmen des Landwehrkanals möglich) durch die Innenstadt und die Randbezirke und bietet die Möglichkeit, viele Sehenswürdigkeiten aus einem ganz neuen Blickwinkel vom Wasser aus zu betrachten. Dazu zählen klassische Highlights wie das **Deutsche Technikmuseum** › S. 140, **Potsdamer Platz** › S. 109, **Neue Nationalgalerie** › S. 114, **Bauhaus-Archiv** › S. 115, **Zoologischer Garten** › S. 108, **Schloss Bellevue** › S. 106, **Bundeskanzleramt** › S. 103, **Reichstag** › S. 102, **Museumsinsel** › S. 83, **Berliner Dom** › S. 83, **Fernsehturm** › S. 90, **Nikolaiviertel** › S. 91 und **Märkisches Museum** › S. 92. Auch an der **East Side Gallery**

Schiffstour auf der Spree

und **Oberbaumbrücke** › S. 146 schippert der Ausflugsdampfer gemächlich vorbei. Aber nicht nur die bekannten Sehenswürdigkeiten lassen sich von Deck aus betrachten. Die Bootsfahrt führt vorbei an historischen und modernen Stadtlandschaften, Industriegebieten und grünen Ecken der Metropole, und die Passagiere erhalten so einen hervorragenden Gesamteindruck von der Hauptstadt. Ein besonderes Erlebnis ist die Fahrt auch am Abend. Dabei ist für das leibliche Wohl an Bord ebenfalls gesorgt (nicht im Fahrpreis enthalten).

 ## Die Fahrrad-Mauer-Tour

Verlauf: Nordbahnhof › **Hamburger Bahnhof** › **Hauptbahnhof** › **Reichstag** › **Brandenburger Tor** › **Potsdamer Platz** › **Martin-Gropius-Bau** › **Topographie des Terrors** › **Checkpoint Charlie** › **East Side Gallery** › **Warschauer Straße**

Karte: Faltkarte
Dauer: Die Tour hat eine Länge von 14 km, mindestens 3–4 Stunden sollte man einplanen.
Verkehrsmittel:
Fahrrad; virtuelle Tour und nähere Infos im Internet unter www.berlin.de/mauer/mauerweg/index/index.de.php. Zahlreiche Stationen des öffentlichen Nahverkehrs erlauben es, die Tour unterwegs problemlos abzubrechen. In der S- und U-Bahn ist die Fahrradmitnahme gestattet. Für das Fahrrad ist im Berliner Stadtgebiet ein Ermäßigungsfahrschein AB zu erwerben. Fahrradverleih › S. 28.

Leider ist in Berlin von der Mauer, den Grenzanlagen und Grenzübergängen nicht mehr all zu viel zu sehen. In den Jahren 2002 bis 2006 wurde der »Berliner Mauerweg« geschaffen. Er kennzeichnet den Verlauf der ehemaligen DDR-Grenzanlagen zu West-Berlin und führt über 160 km um das einstige West-Berlin herum. Der Mauerweg ist ausgeschildert und in 14 Einzelstrecken zwischen 7 km und 21 km Länge unterteilt. In regelmäßigen Abständen helfen aufgestellte Übersichtspläne und Texttafeln bei der Orientierung.

Der Abschnitt vom Nordbahnhof zur Warschauer Straße besteht aus zwei der insgesamt 14 Teilstrecken und führt mitten durch die Innenstadt Berlins, direkt oder in der Nähe zahlreicher Sehenswürdigkeiten vorbei. Aber er führt auch zu versteckten Relikten der Teilung wie dem erhalten gebliebenen Wachturm der DDR-Grenztruppen am Spandauer Schifffahrtskanal.

Die Tour beginnt am **Nordbahnhof**, auf dessen Gelände noch Mauerreste erhalten sind. Diese sollen in eine Parklandschaft integriert werden, an der ehemaligen Grenze zu West-Berlin. Die Strecke folgt zunächst dem Grenzverlauf an Garten- und Liesenstraße bis zum ehemaligen **Grenzübergang**

Tour 15: Die Fahrrad-Mauer-Tour **Extra-Touren**

Chausseestraße. Dort informiert eine Tafel der Geschichtsmeile Berliner Mauer. Der Grenzübergang wurde von Karla Sachse mit dem »Kaninchenfeld« künstlerisch in Szene gesetzt. Durch die Boyenstraße gelangt man an den Spandauer Schifffahrtskanal, der die Grenze zu West-Berlin bildete. hier befindet sich in einem erhaltenen **Wachturm** der DDR-Grenztruppen die Gedenkstätte Günter Litfin.

Weiter geht es zum ehemaligen **Grenzübergang Invalidenstraße**, in dessen Nähe der **Hamburger Bahnhof** › S. 99 und das **Museum für Naturkunde** › S. 95 einen Halt wert sind. Vorbei an der **Charité** › S. 95 führt die Fahrt zum neuen Regierungsviertel, wo das **Parlament der Bäume** von Ben Wargin der Opfer der Berliner Mauer gedenkt. **Bundeskanzleramt** › S. 103, **Reichstag**

Zur Rekonstruktion des Mauerverlaufs helfen Texttafeln

› S. 102 und das **Holocaust-Mahnmal** › S. 73 sind interessante Sehenswürdigkeiten, bevor das **Brandenburger Tor** › S. 72 erreicht wird, von wo aus der Weg zum **Potsdamer Platz** › S. 109 führt. Dort gibt es zahlreiche Möglichkeiten, sich für die Weiterfahrt zu stärken.

Vorbei am **Preußischen Landtag** › S. 141, dem Abgeordnetenhaus von Berlin, geht es zum **Martin-Gropius-Bau** › S. 141. An der Emma-Berger-Straße steht hinter Neubauten versteckt ein ehemaliger **Wachturm** der Grenzanlagen. Auf dem Gelände der **Topographie des Terrors** › S. 141 sind ca. 200 m Originalmauer erhalten, und der ehemalige Mauerverlauf ist hier an der doppelläutigen Kopfsteinpflasterreihe besonders deutlich zu erkennen. Unweit davon befindet sich der ehemalige **Checkpoint Charlie** › S. 141. Weiter geht es vorbei am **Axel-Springer-Hochhaus** und der **St.-Thomas-Kirche**. Über die Schillingbrücke gelangt man in die Holzmarkt- und Muhlenstraße. Dort befindet sich der längste erhaltene Mauerabschnitt in der Berliner Innenstadt. 1990 haben Künstler aus aller Welt den 1,3 km langen Rest der Grenzmauer mit eindrücklichen Bildern bemalt. Die sogenannte **East Side Gallery** › S. 146 wurde 2008/2009 saniert; sie steht unter Denkmalschutz. Dennoch ist sie in Teilen duch Erschließungsmaßnahmen an der Spree immer wieder akut gefährdet. In der Nähe steht die neu errichtete Multifunktionsarena **O₂ World** › S. 147.

Infos von A–Z

Behindertengerechtes Reisen

- **DRK-HilfsmittelCentrum**
  im HilfsmittelCentrum
  Bachestr. 11 | 12161
  Tel. 600 300 200
  www.drk-berlin.de/hilfsmittel
  centrum.html
  Mo, Mi 9–12, Di, Do 14–17, Fr 9 bis 12 Uhr

Diplomatische Vertretungen

- **Österreichische Botschaft**
  Stauffenbergstraße 1 | 10785
  Tel. 202 87-0
  www.bmeia.gov.at/botschaft.berlin.html
- **Schweizerische Botschaft**
  Otto-von-Bismarck-Allee 4 a | 10557
  Tel. 390 40 00
  www.eda.admin.ch/berlin

Freibäder

Die Berliner Freibäder sind, je nach Wetter, von April bis September geöffnet. Wasserqualität: www.berlin.de/badege waesser oder Tel. 902 29 55 55.

- **Freibad Tegeler See**
  Schönes Havel-Strandbad mit gutbürgerlichem Restaurant.
  Schwarzer Weg 21 | 13505
  Tel. 22 19 00 11
- **Strandbad Wannsee**
  Berühmtes Havelbad im Westen mit Strandkörben und FKK-Bereich.
  Wannseebadweg 25 | 14129
  Tel. 78 73 25
- **Badeschiff**
  Ein alter Kahn wurde zum Pool umgebaut und in die Spree gelassen. Das Schiff ist ein Erlebnis!
  Kulturgelände Arena
  Eichenstr. 4 | 12435
  Tel. 533 20 30
  www.arena-berlin.de
- **Freibad Müggelsee**
  Strandbad am Müggelsee – der derzeit provisorische Betrieb wird vorerst aufrecht erhalten – Eintritt frei.
  Fürstenwalder Damm 838 | 12589
  Tel. 648 77 77

Fundbüros

- **Zentrales Fundbüro**
  Platz der Luftbrücke 6 | 12101
  Tel. 902 77-31 01
  Mo–Di 9–14, Do 13–18, Fr 9–14 Uhr
- **Fundbüro der Berliner Verkehrs-Betriebe (BVG)**
  Potsdamer Str. 180–182 | 10783
  Tel. 194 49
  Mo, Di 9–14, Do 13–18, Fr 9–14 Uhr

Information

Für das komplette touristische Leistungsspektrum für Hauptstadtbesucher ist die **Berlin Tourismus & Kongress GmbH** zuständig (u. a. Reservierung von Tickets für Veranstaltungen):

- **Berlin Tourismus & Kongress GmbH**
  Karlsbad 11 | 10785
  Service-Hotline Tel. 25 00 23 33
  www.visitberlin.de
- Auf den Internetseiten der Senatsverwaltung, gibt es Infos und Links zu allen Themen, die auch für Touristen interessant sein könnten.
  www.berlin.de
- **Museumsinformation Berlin**
  Infos zu den Museen, Archiven und Denkmälern in Berlin/Brandenburg und die Vermittlung von Führungen.
  Klosterstr. 68 | 10179
  Tel. 24 74 97 00
  www.kulturprojekte-berlin.de

BERLIN infostores

Die **Berlin Tourismus & Kongress GmbH** unterhält diverse Infocenter in

Infos von A–Z

der Stadt: **Berlin Tourist Info**, z. B. im Hauptbahnhof (Eingang Europaplatz) und am Flughafen Tegel (Gate A01). Dort wird man beraten und erhält u. a. den **Museumspass** und die **Berlin Welcome Card** (für 48, 72 Stunden oder 5 Tage freie Fahrt mit den öffentlichen Nahverkehrsmitteln und bis zu 50 % Ermäßigung bei über 200 touristischen und kulturellen Highlights). Mit dem **Museumspass** kann man für 24 € (erm.12 €) an drei aufeinanderfolgenden Öffnungstagen ca. 60 Museen und Sammlungen besuchen.

- **Brandenburger Tor**
  Südflügel/Pariser Platz | 10117
  tgl. 9.30–18 Uhr, April–Okt. bis 19 Uhr
- **Fernsehturm**
  Panoramastraße 1a | 10178
  April–Okt. 10–18, Nov.–März 10–16 Uhr
- Im **Neuen Kranzler Eck**
  Passage | Kurfürstendamm 22 | 10719
  Mo–Sa 9.30–20 Uhr
- **Hauptbahnhof**
  Eingang Europaplatz | 10557
  tgl. 8–22 Uhr

Kino

Kino- und Kulturtipps finden sich in allen Tageszeitungen sowie unter www.berlinonline.de.

Besonders schöne traditionelle Kinos sind die **ASTOR Film Lounge** am Ku'damm (Nr. 225) mit Art-déco-Interieur und XL-Sitzen, der **Zoo Palast** in der Hardenbergstr. 29a, das **Delphi** in der Kantstr. 12a (Charlottenburg) sowie das **International** in der Karl-Marx-

GUT ZU WISSEN

- Seit Anfang 2008 dürfen innerhalb des Berliner S-Bahnrings nur Fahrzeuge mit **Umweltplakette** fahren. Bei Vorliegen der Voraussetzungen erhält man die Plakette bei der Kfz-Zulassungsbehörde (Landesamt für Bürger- und Ordnungsangelegenheiten – LABO) und den Abgasuntersuchungsstellen wie TÜV oder DEKRA sowie bei den dafür in Berlin autorisierten circa 850 Abgasuntersuchungs-Werkstätten der Kfz-Innung. Die Firma Autodienst Biesdorf GmbH (ADB), Alt-Biesdorf 64, 12683 Berlin, Tel. 514 35 54, hat auch So geöffnet.
- Für in Deutschland zugelassene Fahrzeuge können **Plaketten** bei der Kfz-Zulassungsbehörde unter Angabe des Kfz-Kennzeichens über das Internet vorab online (www.berlin.de/labo/kfz/dienstleistungen/feinstaubplakette.shop.php) bestellt werden. Bei Überweisung einer Gebühr von 6 Euro (Plakette inkl.) wird die Plakette per Post zugeschickt.
- **Parken** ist in der Innenstadt nahezu flächendeckend kostenpflichtig (1–3 €/Std.). Es empfiehlt sich die Benutzung öffentlicher Verkehrmittel, Tarifinformationen › S. 20.
- **Taxikurzstrecke**: Für kurze Strecken bieten die Berliner Taxiunternehmen einen Kurzstreckentarif an: Man bezahlt für bis zu 2 km pauschal 4 Euro. Voraussetzungen: Das Taxi muss herangewunken werden und man muss beim Einsteigen ansagen, dass man Kurzstrecke fahren möchte (www.taxi-in-berlin.de). Taxifahrt 0–7 km: 1,79 €/km, ab 7 km: 1,28 €/km. Bestellung von Funktaxis › S. 28.
- **Veranstaltungshinweise**: Die beiden Magazine **tip** (www.tip-berlin.de) und **zitty** (www.zitty.de) bieten alle 14 Tage aktuelle Infos.

Alle 53 (Mitte), die letzten drei sind auch Berlinale-Spielorte. Von Mai bis September gibt es zudem an die 20 Open-Air-Kinos in Berliner Parks und Anlagen, z. B das **Sommerkino Kulturforum Potsdamer Platz**, das **Freilichtkino in der Hasenheide** (Kreuzberg) oder das **Freiluftkino Friedrichshain** im gleichnamigen Volkspark.

Kriminalität

Die Kriminalitätsrate Berlins ist zwar relativ hoch, im Vergleich zu anderen Großstädten aber nicht außergewöhnlich. Besonders im Gedränge in der City, in öffentlichen Verkehrsmitteln, Einkaufszentren und auf Großveranstaltungen muss man mit Taschendieben rechnen. Vor allem die Plätze, an denen sich viele Touristen aufhalten, sind gefährdet. Man sollte also Handtaschen und Rucksäcke immer gut verschließen und im Auge behalten.

Notruf

- **Polizei**: Tel. 110
- **Feuerwehr**: Tel. 112

- **Ärztlicher Notdienst**: Tel. 31 00 31
- **Zahnärztlicher Notdienst**: Tel. 89 00 43 33
- **ADAC Stadtpannendienst**: Tel. 018 02-22 22 22
- **ACE, Autoclub Europa**: Tel. 0711-530 34 35 36

Post

Länger als zu den normalen Schalterstunden haben diese Filialen geöffnet:
- **Bahnhof Zoo**
  Buchhandlung/Kiosk im Bahnhof Zoo
  Hardenbergplatz 9–12 | 10623
  tgl. 4.30–23.30 Uhr
- **Hauptbahnhof**
  Mc Paper | Europa-Platz | 10557
  tgl. 8–22 Uhr
- **Bahnhof Friedrichstraße**
  Ludwig | Georgenstr. 12 | 10117
  Mo–Fr 6–22, Sa/So 8–22 Uhr.

Sport und Spaß

- **Olympiastadion**
  Heimstadion von Hertha BSC (www.hertabsc.de), Veranstaltungsort für Konzerte, Sportevents.

STRANDBARS

Nirgendwo kommt so sehr Urlaubsfeeling auf wie an Berlins Stadtstränden. Sobald das Wetter mitspielt, wird die Saison eröffnet, und die Strandbars entlang der Spree bevölkern sich. Dabei wird manchenorts auch Sport getrieben.
- Für eines der größten Sport- und Freizeitangebote bei karibischen Reggae-Klängen ist etwa das **Yaam** (www.yaam.de) an der Schillingbrücke (10243) [K3] bekannt.
- Einer der populärsten Strände mit einem wunderbaren Blick auf das Bodemuseum ist die **Strandbar Mitte** (Monbijoustr. 3, 10117, www.strandbar-mitte.de, tgl. ab 10 Uhr) im Monbijoupark › S. 87.
- Mit 12 000 m² ist die am Hauptbahnhof gelegene **Metaxa Bay Beach Club** eine Strandbar im XXL-Format. Es gibt mehrere Bars und Imbissstände und Volleyballfelder. Abends finden häufig Parties statt (im Sommer tgl. ab 14 Uhr, Invalidenstr. 78, 10557). [G2]
- Im **Zollpackhof** (eher ein Biergarten) sitzt man am Wasser, direkt gegenüber vom Kanzleramt. Im Winter genießt man den tollen Blick vom gestylten angeschlossenen Restaurant aus (Elisabeth-Abegg-Str. 1, 10557). [F2]

Infos von A–Z

Olympischer Platz 3 | 14053
Ⓤ 2 und Ⓢ 9, Ⓢ 75 Olympiastadion
www.olympiastadion-berlin.de
- **Magic Mountain Climbing Center**
Größte Kletterhalle Deutschlands.
Böttgerstr. 20–26 | 13357
Tel. 88 71 57 90
www.magicmountain.de
Mo, Mi, Fr 12–24, Di, Do 10–24, Sa/So 10–23 Uhr, Eintritt 15,50 €, erm. 7,50–12,50 €
- **Beach Mitte** ist ein beliebter Treff zum Beachvolleyball spielen. Doch man kann es dort auch gemütlicher angehen, z. B mit einem Cocktail an der **BeachBar** im Hawaii-Stil.
Caroline-Michaelis-Str. 8 | 10115
Tel. 01 77/280 68 61
www.beachberlin.de
Sommer Mo–Fr ab 15, Sa/So ab 12 Uhr, Courts 12–16 €/Std.
- **Schwarzlicht minigolf Berlin**
Indoor-Minigolf mit leuchtenden Schlägern und Bällen bei Schwarzlicht in Science-Fiction-Atmosphäre.
Görlitzer Str. 1, Haus 1, Eingang Skaliter/Görlitzer Straße | 10997
Tel. 616 21 960
www.indoor-minigolf-berlin.de
Mo–Do 12–22, Fr 12–24, Sa 10–24, So 10–22 Uhr, eine Runde 5,50 €, erm. 4,50 €

Telefon
Berlin hat die Vorwahl 030, aus Österreich und der Schweiz 0049-30.

Theater- und Konzertkarten
- **Hekticket**
Last-Minute-Eintrittskarten mit bis zu 50 % Ermäßigung.
Hardenbergstr. 29d | 10623
Tel. 230 99 30 | Mo–Fr 12–20, Sa 10–20, So 14 bis 18 Uhr
Karl-Liebknecht-Str. 13 | 10178
Mo–Sa 12–20 Uhr
www.hekticket.de
- **Ticket-Online**
Auch an VVK-Kassen mit Ticket-Online-Anschluss.
Tel. 018 06 447 00 00
www.ticketonline.com
- **Berliner Festspiele**
Eintrittskarten und Programminformationen für die Festivals, Programmreihen und Einzelveranstaltungen der Festspiele über das ganze Jahr.
www.berlinerfestspiele.de

Zeitungen
- **Berliner Morgenpost** (Springer), populistisch-konservatives Blatt.
- **Berliner Zeitung** (Berliner Verlag, DuMont Schauberg), seriös recherchiert, modernes Layout.
- **BZ** (Springer), auflagenstärkstes Boulevardblatt.
- **Berliner Kurier** (Berliner Verlag, DuMont Schauberg), BZ-Konkurrenz.
- **Junge Welt**, linke Tageszeitung.
- **Neues Deutschland**, einstiges Zentralorgan der SED, schürt die Empfindlichkeiten zwischen West und Ost.
- **Tagesspiegel**, großer Kultur- und Feuilletonteil, am stärksten bei Regionalthemen Berlin-Brandenburg.
- **taz**, alternative, linke Tageszeitung, weniger Lokalkolorit, mehr übergreifende Statements, für kritische Recherchen bekannt.

Urlaubskasse	
Tasse Kaffee	2,50–3 €
Softdrink	2–3,50 €
Glas Bier (0,3 l)	2–3,50 €
Currywurst	2–3 €
Kugel Eis	1–1,20 €
Taxifahrt (pro km)	1,28–1,79 €
Mietwagen/Tag	ab 25 €

Register

Admiralspalast 77
Ägyptisches Museum 84
Akademie der Künste 107
Alexa 90
Alexanderplatz 22, 90
Alte Nationalgalerie 84
Alter Jüdischer Friedhof 98
Altes Museum 84
Alt-Köpenick 149
Anhalter Bahnhof 140
Anreise 24
AquaDom & Sea Life 29, 83
Aquarium 29
Auguststraße 63

Babelsberg
• Filmpark 166
• Schloss 166
Ballhaus Naunynstraße 143
Bars 50
Bauhaus-Archiv 115
Berggruen, Heinz 128
Bergmannstraße 139
Berlinale 112
Berliner Dom 83
Berliner Mauerweg 135, 172
Berliner Medizinhistorisches Museum 96
Berlinische Galerie 63, 142
Berlin Story 77
Biergärten 40
Bode-Museum 86
Boros, Christian 64
Botschaftsviertel 115
Boxhagener Platz 147
Brandenburger Tor 22, 72
Brecht-Weigel-Gedenkstätte 96
Bröhan-Museum 128

Bundeskanzleramt 103
Bundespräsidialamt 106
Bundespressekonferenz 104
BVG (Berliner Verkehrsbetriebe) 28

Campingplätze 34
Centrum Judaicum 98
Chamissoplatz 140
Charité 95
Checkpoint Charlie 141
Chipperfield, David 84, 87
Clubs 51
Comedy 50

Dahlem 159
Dalí-Ausstellung 15, 111
DDR-Museum 83
DDR-Staatsratsgebäude 83
Deutsche Bank KunstHalle 80
Deutsche Kinemathek 109, 110
Deutscher Dom 78
Deutsches Historisches Museum 81
Deutsches Technikmuseum 30, 140
Deutsches Theater 96
Döblin, Alfred 65
Dokumentationszentrum Berliner Mauer 135
Dorotheenstädtischer Friedhof 96

East Side Gallery 24, 146
Einstein, Albert 80, 98
Englischer Garten 108
Ephraim-Palais 92
Essen 35

Ethnologisches Museum 159

Fahrrad-Mauer-Tour 172
Fahrradverleih 28
Fasanenstraße 121
Fernsehturm 22, 90
Feste 66
FEZ Berlin 29
FHXB Friedrichshain-Kreuzberg Museum 143
Flick Collection 95
Flughafen Tempelhof 137
Forum Fridericianum 79
Französischer Dom 78
Freizeitpark Lübars 29
Friedrich der Große 61, 78, 79, 80, 124
Friedrich I. 61
Friedrichshagen 151
Friedrichshain 23
Friedrichstadt-Passagen 78
Friedrichstraße 22, 77
Friedrichswerdersche Kirche 82
Friedrich Wilhelm 56, 59
Friedrich Wilhelm I. 78, 84, 87
Friedrich Wilhelm II. 124
Friedrich Wilhelm III. 80, 85

Galerie
• Contemp. Fine Arts 64
• Kupfergraben 64, 87
• Nierendorf 62
• Lindenstraße 142
Gedächtniskirche 23, 122
Gedenkbibliothek 142
Gedenkstätte Berliner Mauer 135
Gedenkstätte Deutscher Widerstand 114

Register

Gehry, Frank O. 76
Gemäldegalerie 114
Gendarmenmarkt 22, 78
Geschichte, Berliner 56
Gipsformerei 127
Glienicker Brücke 158
Grenzübergang
- Chausseestraße 172
- Invalidenstraße 173

Grips Theater 30, 107

Hackesche Höfe 99
Hackescher Markt 99
Hamburger Bahnhof, Mus. für Gegenwart 63, 95
Hansaviertel 107
Hauptmann von Köpenick 152
Haus der
- Berliner Festspiele 122
- Kulturen der Welt 106
- Wannsee-Konferenz 154

Havel 154
Heckmann-Höfe 97
Heinrich-Zille-Museum 127
Historisches Zentrum 70
Holocaust-Mahnmal 73
Hotel Adlon 76
Hotels 31
Humboldt-Box 82
Humboldt-Forum 82
Humboldt-Universität 80
Husemannstraße 134

Jakob-Kaiser-Haus 103
Jazzclubs 51
Jüdischer Friedhof 132
Jüdisches Gemeindehaus 121
Jüdisches Leben 60
Jüdisches Museum 142
Jugendherbergen 34

Kabarett 50
Kaiser-Wilhelm-Gedächtniskirche 23, 122
Kaiser Wilhelm II. 56, 83, 86, 102
Kammermusiksaal 113
Karl-Marx-Allee 93, 94
Kastanienallee 132
Käthe-Kollwitz-Museum 121
Kaufhaus des Westens (KaDeWe) 122
Keramik-Museum Berlin 128
Kinder 29
Kinderbad Monbijou 29
Klassizismus 61
Klein Glienicke 159
Klima 24
Kollwitz, Käthe 62, 81
Kollwitzplatz 134
Konzerthaus 79
Köpenick 24, 149
- Rathaus 149
- Stadtschloss 150

Kottbusser Tor 143
KPM (Königliche Porzellan-Manufaktur) 108
Kreuzberg 23, 137
Kronprinzenpalais 81
Küche, Berliner 38
Ku'damm-Karree 119
Kultur 61
KulturBrauerei 133
Kulturforum 22, 112
Kunst 61
Kunstbibliothek 114
Kunstgewerbemuseum 113
Kunsthof 97
Künstlerhaus Bethanien 145
Kunst-Werke Berlin 63
Kupferstichkabinett 114
Kurfürstendamm 23, 118
Kurfürst
- Friedrich III. 56, 123
- Joachim II. 56, 61

Labyrinth Kindermuseum 30
Langhans, Carl Gotthard 61, 72, 80, 90, 124
Legoland Discovery Centre 110
Leipziger Platz 22
Lenné, Peter Joseph 107
Lesungen 65
Liebermann, Max 62, 132
Liebermann-Villa 154
Literatur 65
Literaturhaus 122
Livemusik 51
Lustgarten 84

Madame Tussauds 77
Magic Mountain 30
Märchenhütte 30, 87
Marie-Elisabeth-Lüders-Haus 104
Marienkirche 22, 90
Märkisches Museum 92
Markthallen 47
Martin-Gropius-Bau 141
Marx-Engels-Forum 91
Mauermuseum 141
Maybachufer 143
meCollectors Room 97
Mitte 88
Monbijoupark 87
Müggelsee 24, 153
Museum
- Berggruen 63
- für Fotografie 121
- für Kommunikation 78
- für Naturkunde 30, 95

Museumsinsel 22, 83
Musical 49
Musikinstrumentenmuseum 112

Nationalitäten 59
Natur 58
Neptunbrunnen 91
Neue Nationalgalerie 114
Neues Kranzler Eck 122

Register

Neues Museum 84
Neue Synagoge 98
Neue Wache 80
Niederkirchnerstraße 141
Nikolaikirche 92
Nikolaiviertel 22, 91
Nordbahnhof 172

O$_2$ World 147
Oberbaumbrücke 146
Olivaer Platz 119
Oper 48
Oranienburger Straße 96
Oranienstraße 144

Palais am Festungsgraben 81
Palast der Republik 82
Pariser Platz 73
Parochialkirche 93
Paul-Löbe-Haus 103
Pei, I. M. 81
Pergamonmuseum 86
Pfaueninsel 155
Pfefferberg 131
Philharmonie 113
Potsdam 24, 160
• Biosphäre 166
• Buga-Gelände 166
• Hans-Otto-Theater 165
• Holländisches Viertel 164
• Russische Kolonie Alexandrowka 164
• Schloss Cecilienhof 165
• Schloss Sanssouci 160
Potsdamer Platz 109, 110
Prater 40, 132
Prenzlauer Berg 23, 131
Preußischer Landtag 141
Prinzessinnenpalais 81

Rattle, Simon 113
Regierungsviertel 22
Reichstag 102
Reisezeit 24

Religionen 59
Restaurants 35
Riehmers Hofgarten 138
Rotes Rathaus 91
Russische Botschaft 77

Sammlung Boros 64
Sammlung Scharf-Gerstenberg 128
Savignyplatz 119
Schaubühne 118
Schauspiel 48
Scheunenviertel 99
Schinkel, Karl Friedrich 61, 79, 84
Schloss
• Bellevue 106
• Charlottenburg 23, 122
Schlossplatz 82
Shopping 41
Siegessäule 108
Simon-Dach-Straße 147
Sony Center 111
Sophie-Gips-Höfe 98
Sophienstraße 98
Sowjetisches Ehrenmal 102
Staatsbibliothek 80
Staatsoper Unter den Linden 80
Stadtführungen 25, 30, 160
Stadtschloss 82
Stadtverkehr 28
St.-Hedwigs-Kathedrale 79
St. Peter und Paul 158
Strandbad Wannsee 29
Street Food Thursday 36, 146
Stüler, August 128
Synagoge Friedenstempel 136

Tauentzien 23
Taut, Max 107

Taxi 28
T-Hall Berlin 30
Theater des Westens 120
Tickets (Eintrittskarten) 51
Tiergarten 22, 100, 107
Tierpark Friedrichsfelde 29
Tipi – Das Zelt 106
Topographie des Terrors 141

Ufa-Fabrik 30
Ullstein, Leopold 132
Umweltzone/-plakette 59
UNESCO-Siedlungen 62
Unter den Linden 22, 77
Unterkunft 31

Vagantenbühne 120
Varieté 49
Viktoriapark Kreuzberg 137
Virchow, Rudolf 96
Volksbühne 99
Volkspark Friedrichshain 147
von Humboldt, Alexander 65
von Knobelsdorff, Georg W. 61, 79, 124

Waltz, Sasha 118
Wannsee 24, 154
Wasserturm 136
Wasserwerk Friedrichshagen 152
West-City 116
Wochenmärkte 47

Zille, Rudolf Heinrich 127
Zoologischer Garten 29, 108
Zuckerbäckerstil 94

Impressum

Bildnachweis
Coverfoto: Bodemuseum mit Fersehturm © Interfoto/Wilfried Wirth
Fotos Umschlagrückseite: © shutterstock/Noppasin (links); laif/Thomas Linkel (Mitte); LOOK-foto/Joris van Felsen (rechts)

Admiralspalast: 77; Alamy/WoodyStock: 164; APA Publications/F. Gransden & Mark Read: 60; Alexander Binder: 135; Paul Freyer: 81; F1online/Jose Fuste Raga: 116; Fotolia/downer: U2-1; Fotolia/Gordon Bussiek: 110; Fotolia/Stanford Lone: 94; glowimages/Westend 61/CB pictures: 52/53; glow images/Sigfried Kuttig: 173; Herbert Hartmann: 107, 133; Huber Images/Hans-Peter Huber: 148; Jahreszeitenverlag/Florian Bolk: 8-2, 9-1, 23, 50; Jahreszeitenverlag/GourmetPictureGuide: 9-2, 33, 39; Jahreszeitenverlag/Philip Koschel: 130, 136; KaDeWe: 117; laif/GAFF/Adenis: 49, 165; laif/Anita Back: 47; laif/Paul Hahn: 79; laif/Katja Hoffmann: 13; laif/Christian Kerber: 37; laif/Kirchner: 66, 166; laif/Georg Knoll: 98, 171; laif/Zenit/Paul Langrock: 25, 101, 109; laif/GAFF/Maecke: 30; laif/Neumann: U2-2, 161; laif/Jens Passoth: 45; laif/Dagmar Schwelle: 129; laif/Westrich: 29; Uwe Latza: 71, 152, 155; Lehmann & Blisse: 8-1; LOOK-foto/Ulf Böttcher: 88; LOOK-foto/Torsten Andreas Hoffmann: 158; LOOK-foto/Karl Johaentges: 30, 115, 144; LOOK-foto/Peter Limberger: 103; LOOK-foto/Roetting/Pollex: 63; LOOK-foto/Jürgen Stumpe: 67, 100; LOOK-foto/H. & D. Zielske: 20/21, 73, 112; me Collecters Room 2013/Foto: Daiy Loewl: 97; H.-P. Merten Fotodesign: 70, 91, 170; Erhard Pansegrau: 82, 85, 142; shutterstock/Photocreo Michal Bednarek: 6; shutterstock/Alexa Catalin: U2-4, 27; shutterstock/Alexander Inglessi: 57; shutterstock/Axel Lauer: 10; shutterstock/meuniero: 16; shutterstock/Noppasin: U2-3, 6/7; shutterstock/pio3: 14; shutterstock/Ppictures: 55; shutterstock/Abel Tumik: 123; shutterstock/Stripped Pixel: 168; shutterstock/Madrugada Verde: 68/69; Ilona Studre: 43; Wikipedia (gemeinfrei): 120; Wikipedia/Manfred Brückels_CC 3.0: 126; Wikipedia/dalbera: 87; Wikipedia/Jens K. Müller: 147.

Liebe Leserin, lieber Leser,
wir freuen uns, dass Sie sich für diesen POLYGLOTT on tour entschieden haben.
Unsere Autorinnen und Autoren sind für Sie unterwegs und recherchieren sehr gründlich,
damit Sie mit aktuellen und zuverlässigen Informationen auf Reisen gehen können.
Dennoch lassen sich Fehler nie ganz ausschließen. Wir bitten Sie um Verständnis, dass der
Verlag dafür keine Haftung übernehmen kann.

Ihre Meinung ist uns wichtig. Bitte schreiben Sie uns:
TRAVEL HOUSE MEDIA GmbH, Redaktion POLYGLOTT, Grillparzerstraße 12,
81675 München, redaktion@polyglott.de
www.polyglott.de

1. komplett überarbeitete Auflage 2015

© 2015 TRAVEL HOUSE MEDIA
GmbH München
Dieses Buch wurde auf chlorfrei
gebleichtem Papier gedruckt.
ISBN 978-3-8464-2601-2

Alle Rechte vorbehalten. Nachdruck, auch
auszugsweise, sowie die Verbreitung durch
Film, Funk, Fernsehen und Internet, durch
fotomechanische Wiedergabe, Tonträger
und Datenverarbeitungssysteme jeglicher
Art nur mit schriftlicher Genehmigung
des Verlages.

**Bei Interesse an maßgeschneiderten
POLYGLOTT-Produkten:**
Tel. 089/450 00 99 12
veronica.reisenegger@travel-house-media.de

Bei Interesse an Anzeigen:
KV Kommunalverlag GmbH & Co KG
Tel. 089/928 09 60
info@kommunal-verlag.de

Verlagsleitung: Michaela Lienemann
Redaktionsleitung: Grit Müller
Verlagsredaktion: Anne-Katrin Scheiter
Autoren: Christiane Petri, Manuela Blisse
und Uwe Lehmann
Redaktion: Buch und Gestaltung
Britta Dieterle und Heide Ilka Weber
Bildredaktion: Ulrich Reißer
Mini-Dolmetscher: Langenscheidt
Layoutkonzept/Titeldesign:
fpm factor product münchen
Karten und Pläne: Theiss Heidolph
Satz: uteweber-grafikdesign
Herstellung: Sophie Vogel
Druck und Bindung:
Firmengruppe APPL,
aprinta druck, Wemding

PEFC/04-32-0928

TRAVEL HOUSE MEDIA

Ein Unternehmen der
GANSKE VERLAGSGRUPPE

Mini-Dolmetscher Berlinerisch

Im letzten Winkel deutscher Lande erkennt man den typischen Berliner sofort an seinem schnoddrigen Sprachwitz. Keine andere deutsche Mundart trägt so offen die atemberaubende Respektlosigkeit, aber auch den spröden Humor ihres Sprechers zur Schau wie das Berlinerische. »Lieber'n bißken mehr, aber dafür wat Jutet!«, so denkt sich fröhlich der echte Berliner. Ganz normal auf Berlinerisch ist die ständige Vertauschung des dritten und vierten Falls, was bei einem Geständnis wie »Ick liebe Dir« für restdeutsche Ohren eher ziemlich unangebracht klingt. Gerne benutzt wird auch der erweiterte Infinitiv, aber nach allen Regeln deutscher Grammatik an falscher Stelle. Da teilt uns die Sachbearbeiterin der Versicherung dann freundlich mit, sie habe die Akte gerade »vorzuliegen«. Das Berlinerische ist eine über Jahrhunderte gewachsene Vermischung aus dem Plattdeutschen, Obersächsischen, Jiddischen, Slawischen und dem Französischen. Niederdeutsche Bauern, Hugenotten und viele andere Einwanderer brachten ihre Sprache in den Schmelztiegel mit ein. Der Karikaturist Heinrich Zille hat das Berlinerische während der 1920er Jahre mit den Untertiteln seiner liebevollen Schilderungen »aus'm Milljöh« populär gemacht. Allerdings verschwinden viele dieser Ausdrücke immer mehr und sind häufig nicht einmal mehr gebürtigen Berlinern geläufig.

abhotten	tanzen	Kiez	Viertel, Wohngegend
auf dem Tochus sitzen	sich auf seinen vier Buchstaben niederlassen	keen Kopp nich machen	sich keine Gedanken machen
aus daffke	aus Trotz	knorke	Toll! Klasse!
aus der Lameng	im Handumdrehen	koofen	kaufen
		Langer Lulatsch	Funkturm
Beene	Beine	Liebesknochen	Eclair (Gebäckstück)
Berlina Flanze	echtes Berliner Mädchen	loofen	laufen
Bollenfleisch	Zwiebelfleisch vom Lamm	Mallörchen	Malheur, dumme Geschichte
Bulette	Frikadelle		
Café Achteck	öffentliche Toilettenhäuschen von 1900	Männeken	kleiner Mann, »...mein Lieber!«
Deez	Kopf		
Destille	leistungsfähige Kneipe	Markör	Kellner
dette	das	Merkwürdiges Viertel	Hochhaussiedlung Märkisches Viertel
een	einen		
eens ins Weite zwitschern	abhauen, verduften	meschugge	verrückt
		Mischpoke	Familie
Eierkuchen	Pfannkuchen	Molle	Bier
embrassieren	umarmen	Mollenfriedhof	Bierbauch
englisches Ei	neue Glaskuppel des Reichstagsgebäudes	Mostrich	Senf
		Ooogen	Augen
Fortepiano	Klavier	Olle, Oller	Ehefrau, Ehemann
gnatzig	schlecht gelaunt	Pfannkuchen	Karnevalskrapfen, Berliner
Hackepeter	rohes Schweinehack mit Zwiebeln und Ei		
		Plauze	dicker Bauch, Wanst
hohler Zahn	Turm der Kaiser-Wilhelm-Gedächtniskirche	Rucksackberlina	Zugereister, Neuberliner
Hungerharke	Luftbrückendenkmal am Flughafen Tempelhof	Schrippe	ovales Brötchen mit Längskerbe, Semmel
ick, icke	ich	scheen	schön
ick hab de Neese pleng	ich habe die Nase voll	Steppke	kleiner Junge
		Stulle	belegte, und doppelt geklappte Brotschnitte
inkommodieren	belästigen		
janz jut	ganz gut	Tacheles reden	jemandem deutlich seine Meinung sagen
Jejend	Gegend		
Jöhre	Kind	uffjerecht	aufgeregt
kabbeln	sich zanken	wa?	in Ordnung?
keen Jetue nich	keine Umständlichkeiten	wat?	Was? Wie bitte?
kieke ma' rinn	schau' doch mal vorbei	Zoff	dicke Luft

Meine Entdeckungen

Clevere Kombination mit POLYGLOTT Stickern
Einfach Ihre eigenen Entdeckungen mit Stickern von 1–16 in der Karte markieren und hier eintragen. Teilen Sie Ihre Entdeckungen auf facebook.com/polyglott1.

Checkliste Berlin

Nur da gewesen oder schon entdeckt?

- [ ] **East Side Gallery**
  Die Mauer, bemalt mit rund 100 großformatigen Bildern, muss man gesehen haben. › S. 146

- [ ] **2000 Jahre deutsche Geschichte**
  Für die Dauerausstellung im Deutschen Historischen Museum (DHM) benötigt man mindestens einen halben Tag › S. 81

- [ ] **Potsdam mitnehmen**
  Auf nach Potsdam, es ist nur ein Katzensprung. Ein Muss: das schmuck restaurierte Holländische Viertel › S. 164

- [ ] **Chillen mitten in der Stadt**
  Nirgends könnte man sich bei einem kühlen Drink besser erholen als in dem schönen Biergarten Café am Neuen See › S. 40

- [ ] **Schnell alles sehen**
  Erst Sightseeing an Land mit dem Bus 100 › S. 28 und dann vom Schiffsdeck aus bei einer Stadtkernfahrt in einer Stunde Berlins historische Mitte erleben › S. 25

- [ ] **Bis zum frühen Morgen**
  Berlin kennt keine Sperrstunde. Das Nachtleben ist legendär und hält nicht nur für junge Szenegänger die Türen bis zum frühen Morgen offen.

- [ ] **Anders shoppen**
  Gemütlich shoppt man in den originellen Läden der Bergmannstraße › S. 139 und rund um den Kollwitzplatz › S. 134

Mitbringsel für Daheim

Eine Schneekugel: Motiv Brandenburger Tor – zu erwerben bei Berlin Story › S. 77
»Der nasse Fisch«: ein in den 1930er-Jahren spielender Berlin-Krimi von Volker Kutscher. › S. 44